Resurgir

Del Agotamiento a la Resiliencia - Una Guía Integral para Comprender y Superar el Burnout

Por Dr. Manuel López Kneeland

A Kako, Fu, Jay y Soul, mis raíces y mi cielo, quienes me sostienen cuando el mundo se desmorona y me recuerdan que después de cada batalla, siempre hay un resurgir.

Prólogo

Era una mañana de diciembre, cuando me encontré sentado en mi oficina, mirando fijamente la pantalla de mi computadora. Las náuseas eran insoportables, mi mente estaba nublada, estaba muy enojado y no sabía ni el porqué, y por primera vez en más de 20 años de carrera, no me importaba mi trabajo. Este no era yo - era una versión erosionada de mí mismo, esperando resurgir y recuperar mi verdadera esencia profesional.

"Ser médico es una vocación y por tanto el sacrificio personal es obligado." Esta frase, grabada en mi mente desde mis primeros días en la escuela de medicina, se convirtió en el mantra que definiría mi vida profesional. Mis maestros lo repetían con orgullo: las noches sin dormir, la disponibilidad 24/7, los sacrificios personales - todo esto era parte del noble camino que habíamos elegido. El prestigio y el reconocimiento social serían nuestra recompensa.

Irónicamente, también nos advertían: "No te involucres emocionalmente con tus pacientes, te puedes desgastar." Una contradicción que hasta ahora comprendo en toda su dimensión. ¿Cómo puede un médico no involucrarse cuando sus pacientes son personas? ¿Cómo mantener la distancia cuando ves sistemas enteros fallando a quienes más lo necesitan?[1]

---

[1] Debido a la naturaleza de su trabajo los médicos tienen dos riesgos psicológicos relacionados con las emociones: el trauma vicario y el burnout. Sin embargo, estos tienen diferentes causas, diferentes consecuencias a largo plazo y se manifiestan de forma distinta.

Los síntomas aparecieron gradualmente, tan sutiles que al principio fueron fáciles de ignorar. La depresión se disfrazó de cansancio. Las adicciones se justificaron como mecanismos para lidiar con el estrés. Los síntomas físicos - vómitos, diarrea, fatiga extrema - los atribuí al estrés "normal" de un cargo directivo. El enojo y la frustración se convirtieron en mis compañeros diarios, hasta que un día, la despersonalización se apoderó de mí por completo.

Cuando finalmente reuní el valor para hablar con mi jefe, su respuesta fue predecible: "Tómate unas vacaciones." Pero en una cultura donde las vacaciones son una ilusión, donde siempre hay una emergencia que requiere tu atención, ¿qué significado tiene ese consejo? La familia, con la mejor intención, reforzaba el problema: "No seas caprichoso", "Piensa en tu estatus", "Ya estás grande para cambios"... nadie entendía que me estaba consumiendo por dentro.

El burnout o desgaste laboral no envía invitaciones formales. No avisa. Te encuentras un día mirando tu vida, tu carrera, todo por lo que has trabajado, y descubres que ya no puedes avanzar ni un centímetro más. No es cansancio - es una muerte profesional y emocional. Elegí arriesgarme, enfrentar la incertidumbre económica, y comenzar mi proceso de resurgimiento, antes que continuar destruyéndome en un sistema que me consumía.

Este libro nace de esa experiencia, pero va más allá de mi historia personal. Es una exploración profunda del burnout en nuestras vidas, respaldada tanto por la investigación científica como por la experiencia vivida. Es una guía para reconocer, prevenir y superar el burnout, pero, sobre todo, es un llamado a transformar un sistema que está enfermando a quienes deberían cuidar de la salud de otros.

Mi propia historia, que comparto aquí sin reservas, busca tender un puente entre el conocimiento científico y la experiencia vivida del burnout. Como médico que se convirtió en paciente, como investigador que se transformó en sujeto de estudio, ofrezco esta obra como testimonio de que la recuperación no solo es posible - es un camino que puede conducir a una comprensión más profunda de nuestra humanidad compartida.

Esta obra es mas que un libro sobre el burnout; es una guía práctica para transformar el agotamiento en energía, para convertir la crisis profesional en una oportunidad de renacimiento y crecimiento.

¿Por qué este libro?

La conversación casual con un director de salud ocupacional me reveló una estadística perturbadora: "Aquí los directores médicos duran un promedio de dos años." Lo que él veía como un dato administrativo más, yo lo reconozco ahora como un síntoma de un sistema enfermo, dirigido por métricas financieras en lugar de valores humanos.

Mientras me recuperaba, comencé a escuchar las historias de mis colegas. Se repetían como un eco: adicciones, cambios constantes de trabajo, desilusión profunda con la profesión. Lo más trágico es que cada uno se culpaba a sí mismo por "no aguantar", por "ser débil", sin reconocer que estamos ante un problema sistémico que nos está destruyendo a todos.

Los números son alarmantes. Según una encuesta de la Asociación Americana de Psicología el 79% de los empleados había experimentado estrés relacionado con el trabajo en el mes anterior a la encuesta. En México, el Instituto Mexicano del Seguro Social reporta que el 75% de los trabajadores mexicanos experimentaron síntomas significativos de desgaste laboral, superando a países como China (73%) y Estados Unidos (59%).

Este libro nace de una necesidad urgente de cambiar la narrativa. No se trata solo de compartir estadísticas o teorías - aunque la evidencia científica es fundamental. Se trata de entender que el burnout no es una debilidad personal, sino el resultado predecible de sistemas que han priorizado la productividad sobre el bienestar.

A través de estas páginas, combinamos:

• Investigación documental actualizada sobre el impacto neurobiológico y psicológico del burnout.
• Casos prácticos ilustrados en diversos contextos organizacionales.
• Estrategias concretas de prevención y recuperación, validadas por estudios empíricos.

Este libro está diseñado para tres audiencias principales:

A. Profesionales que están experimentando o en riesgo de burnout.
B. Líderes organizacionales responsables de la salud mental de sus equipos.
C. Profesionales de recursos humanos y salud ocupacional que necesitan implementar programas efectivos de prevención.

Mi objetivo es proporcionar no solo comprensión, sino también esperanza. El burnout no es inevitable. Con las herramientas adecuadas, podemos crear sistemas de trabajo que fomenten la excelencia sin sacrificar el bienestar humano. Como señalan estudios recientes, las organizaciones que implementan programas integrales de bienestar mental ven un aumento en la productividad y una reducción significativa en la rotación de personal.

Este libro es un llamado a la acción. Es hora de reconocer que la salud mental no es un lujo o una consideración secundaria, sino un componente esencial del éxito organizacional sostenible. A través de la combinación de evidencia científica rigurosa, experiencias prácticas y estrategias comprobadas, este libro proporciona un mapa para navegar hacia un futuro laboral más saludable y sostenible.

Como médico, investigador y sobreviviente del burnout, mi compromiso es ayudar a otros a reconocer las señales, implementar soluciones efectivas y, lo más importante, transformar los sistemas que perpetúan este ciclo destructivo.

CONTENIDO

Primera Parte: Comprendiendo el Burnout

1
¿Qué es realmente el burnout?

Resumen ejecutivo

En este capítulo, desentrañaremos la complejidad del burnout, trascendiendo la percepción simplista de un mero cansancio laboral. Exploraremos este fenómeno como un síndrome multidimensional con profundas implicaciones para la salud profesional y personal.

Objetivos de Aprendizaje:
- Definir científicamente el concepto de burnout.
- Identificar las tres dimensiones fundamentales del agotamiento.
- Comprender la progresión evolutiva del síndrome.

Conceptos Clave:
- Burnout como fenómeno ocupacional.
- Manifestaciones neurobiológicas del agotamiento.
- Etapas de desarrollo del síndrome.
- Diferenciación entre estrés, depresión y burnout.

Beneficios para el Lector:
- Identificación temprana de señales de burnout.
- Comprensión de los mecanismos biológicos subyacentes.
- Capacidad para distinguir el burnout de otras condiciones de agotamiento.

Era una tarde de guardia cuando una residente de tercer año entró a la oficina de enseñanza. Ana, brillante y dedicada, había sido consistentemente la primera de su clase. "Ya no puedo más", dijo, con la voz quebrada. "Ayer cometí un error en una prescripción. No fue grave, lo detectaron a tiempo, pero... no puedo dejar de pensar que podría haber lastimado a alguien. Ya no confío en mí misma."

Este momento captura la esencia de lo que realmente significa el burnout: no es simplemente estar cansado o estresado. Es un estado de agotamiento tan profundo que socava los cimientos mismos de nuestra identidad profesional y personal.

La evolución de nuestra comprensión

El burnout, reconocido oficialmente por la Organización Mundial de la Salud en 2019 como un "fenómeno ocupacional" en la Clasificación Internacional de Enfermedades (CIE-11), representa mucho más que el agotamiento físico. Es un síndrome caracterizado por tres dimensiones fundamentales:

Agotamiento emocional y físico

Sensación de estar "vacío" o "consumido"

Fatiga que no mejora con el descanso

Pérdida de energía física y mental

Despersonalización o cinismo

Distanciamiento emocional del trabajo

Pérdida de empatía hacia colegas o clientes

Actitud cínica hacia las responsabilidades laborales

Reducción de la realización personal

Sensación de incompetencia

Pérdida de sentido en el trabajo

Disminución de la autoeficacia

Dimensiones del Burnout

La Clasificación Internacional de Enfermedades, en su onceava versión, define el burnout como un síndrome resultante del estrés laboral crónico mal gestionado que se caracteriza por tres dimensiones: agotamiento o falta de energía, distanciamiento mental o cinismo hacia el trabajo, y reducción de la eficacia profesional.

La ciencia detrás del desgaste

Las investigaciones neurocientíficas recientes han revelado que el burnout no es simplemente un estado psicológico, sino que tiene correlatos biológicos medibles. Un estudio demostró alteraciones significativas en:

A. La actividad de la amígdala y el hipocampo.
B. Los niveles de cortisol y otros biomarcadores de estrés.
C. La conectividad en redes cerebrales relacionadas con la regulación emocional.

Estos hallazgos explican por qué el burnout no se resuelve simplemente "tomando unas vacaciones" o "siendo más positivo". Es una condición que requiere intervención sistemática y cambios estructurales.

Diferenciando el burnout de otros estados psicológicos

Es crucial distinguir el burnout de otras condiciones que pueden parecer similares:

Diferencias entre burnout, depresión, ansiedad y trauma vicario.

El burnout está específicamente vinculado al ámbito laboral con una sensación de desconexión del trabajo, mientras que la depresión afecta todas las esferas de la vida. La ansiedad puede manifestarse en cualquier contexto, laboral o personal, y el trauma vicario surge de la exposición al sufrimiento de otros, especialmente en entornos profesionales.

Las causas entre estos también varían, desde la sobrecarga laboral prolongada en el burnout, factores personales y sociales en la depresión, percepción de amenazas en la ansiedad, hasta la empatía con el sufrimiento ajeno en el trauma vicario.

El tratamiento también es distinto, requiriendo cambios en las condiciones laborales para el burnout, intervención médica para la depresión, técnicas de manejo del estrés para la ansiedad y supervisión profesional con desarrollo de resiliencia para el trauma vicario.

El continuo del desgaste

El burnout no aparece de repente. Se desarrolla a lo largo de un continuo que podemos dividir en cinco etapas:

Etapa 1: luna de miel

En esta etapa predomina un gran entusiasmo por el trabajo y una alta energía para cumplir las tareas asignadas. El compromiso es intenso y se busca destacar en todas las actividades. Las expectativas están en su punto más alto, llegando incluso a idealizarse.

Etapa 2: El despertar

Surgen los primeros signos de insatisfacción laboral: problemas de visión entre los empleados y conflictos con los valores corporativos. El optimismo para alcanzar las metas y la identificación con la empresa disminuyen. Aparecen síntomas físicos como dolores de cabeza frecuentes y cambios en el peso corporal, entre otras manifestaciones.

Etapa 3: "Brownout" o inicio del desgaste laboral

En esta etapa se manifiesta la fatiga crónica: un estado prolongado de agotamiento físico, mental y emocional caracterizado por una pérdida significativa de energía. Este agotamiento se presenta como un cansancio intenso que no cede ante el descanso regular ni los periodos de sueño, afectando tanto el desempeño laboral como la vida

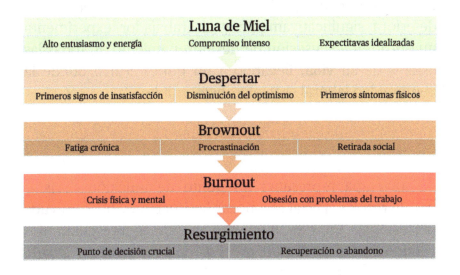

El cliclo contínuo del burnout.

cotidiana. Simultáneamente, aparece la procrastinación, reflejada en el constante aplazamiento de tareas pendientes. A esto se suma un progresivo distanciamiento social, que se hace evidente tanto en el entorno laboral como en la vida personal.

Etapa 4: Burnout o instalación del síndrome de desgaste laboral

La etapa final del agotamiento profesional se caracteriza por una severa crisis física y mental que sobrepasa los límites de resistencia del individuo. La obsesión con los problemas del trabajo se vuelve constante e invasiva, dominando los pensamientos incluso durante el tiempo libre, lo que impide cualquier intento de desconexión o recuperación. Todo esto desemboca en un colapso del sistema personal: las estrategias de afrontamiento fallan por completo, la capacidad de resolución de problemas se deteriora significativamente y el trabajador experimenta una profunda sensación de desmoronamiento en todas las esferas de su vida, llegando a un punto crítico donde la continuidad laboral se vuelve insostenible.

Etapa 5: resurgimiento

Esta etapa representa un punto de inflexión decisivo donde resulta crucial reconocer la situación y buscar ayuda profesional. En este momento crítico se presentan dos caminos: emprender un proceso de recuperación guiado por especialistas o abandonar definitivamente el entorno laboral. La situación demanda una transformación profunda en la forma de concebir el trabajo y su impacto en la vida personal, siendo este cambio de perspectiva esencial para una recuperación efectiva.

El Dr. Carlos era el ejemplo perfecto del éxito profesional. Director médico de un prestigioso hospital privado a los 38 años, profesor universitario, investigador respetado. Sus colegas lo admiraban, sus estudiantes lo adoraban, su futuro parecía brillante.

El primer signo de alarma fue sutil: comenzó a olvidar detalles en las reuniones. Luego vinieron los dolores de cabeza crónicos, el insomnio, la irritabilidad. "Es solo estrés", se decía. "Es normal en este puesto."

Un día, en medio de una presentación importante, tuvo un ataque de pánico. No pudo continuar. Se quedó mirando las diapositivas, incapaz de recordar qué debía decir. Ese fue su momento de quiebre.

La recuperación de Carlos implica más que simplemente "manejar mejor el estrés". Requirió:

1. Reconocer patrones destructivos de autoexigencia.
2. Reestructurar su definición de éxito.

3. Implementar cambios sistémicos en su departamento.
4. Desarrollar una nueva relación con su trabajo.

Conclusión: Un nuevo paradigma

El burnout no es un fracaso personal sino un indicador de sistemas disfuncionales. Como señala Christina Maslach, pionera en la investigación del burnout, "Cuando el canario en la mina de carbón se desmaya, no nos preguntamos qué está mal con el canario. Nos preguntamos qué está mal con el ambiente en la mina."

Comprender el burnout es el primer paso para transformar no solo nuestra experiencia individual del trabajo, sino también los sistemas que lo generan. En los siguientes capítulos, exploraremos estrategias prácticas para esta transformación, tanto a nivel individual como organizacional.

Nota: Las narrativas personales en itálico son ejemplos ilustrativos compuestos basados en casos reales. Los casos de ejecutivos y profesionales mencionados representan patrones observados en múltiples organizaciones a lo largo de décadas de investigación y práctica clínica. Los nombres y detalles específicos se han modificado para proteger la privacidad, mientras que las estadísticas y resultados citados provienen de estudios verificables incluidos en la bibliografía.

Herramientas Prácticas para la Identificación del Burnout

Cuestionario de Autoevaluación para identificación temprana del burnout

Instrucciones: Califique cada afirmación de 0 (Nunca) a 4 (Siempre)

	Nunca	Pocas veces	Algunas veces	Siempre
1. Me siento emocionalmente agotado al final de mi jornada laboral.	1	2	3	4
2. Siento que mi trabajo me consume completamente.	1	2	3	4
3. Al despertar, me cuesta encontrar energía para enfrentar el día.	1	2	3	4
4. Me he vuelto más cínico o distante con mis compañeros de trabajo.	1	2	3	4
5. Siento que trato a mis colegas o clientes de manera impersonal.	1	2	3	4
6. Mi capacidad de empatía ha disminuido significativamente.	1	2	3	4
7. Dudo de mi capacidad profesional.	1	2	3	4
8. Siento que mis logros no son valorados.	1	2	3	4
9. Mi motivación profesional ha disminuido considerablemente.	1	2	3	4
TOTAL DE COLUMNAS				
TOTAL DEL CUESTIONARIO				

Sume los totales de todas las columnas y utilize la siguiente tabla para conocer su resultado:

Puntuación Total	Resultado
0-10	Riesgo Bajo de burnout
11-20	Riesgo Moderado de burnout
21-36	Riesgo Alto de burnout

Ejercicio de Reflexión Profunda

Objetivo: Comprender los orígenes personales del agotamiento
Instrucciones: Responda con honestidad y profundidad

a) Identifique tres momentos en su carrera donde sintió mayor realización profesional:
 - ¿Qué los caracterizaba?
 - ¿Qué elementos estaban presentes?

b) Reflexione sobre sus expectativas profesionales actuales:
 - ¿Coinciden con su visión inicial de éxito?
 - ¿Qué ha cambiado?

c) Analice sus mecanismos de afrontamiento:
 - ¿Cómo responde habitualmente al estrés?
 - ¿Sus estrategias son realmente efectivas?

Lista de Verificación: Señales de Alerta de Burnout

Señales Físicas:
- ☐ Fatiga crónica
- ☐ Alteraciones del sueño
- ☐ Dolores frecuentes
- ☐ Cambios significativos en peso/apetito

Señales Emocionales:
- ☐ Irritabilidad constante
- ☐ Sensación de vacío
- ☐ Ansiedad o depresión
- ☐ Pérdida de interés general

Señales Profesionales:
- ☐ Disminución de productividad
- ☐ Ausentismo frecuente
- ☐ Dificultad para tomar decisiones
- ☐ Conflictos interpersonales recurrentes

NOTA IMPORTANTE

Los ejercicios en este libro son herramientas de autorreflexión y no sustituyen un diagnóstico profesional. Si identificas síntomas persistentes de agotamiento o alteraciones significativas en tu estado emocional, es fundamental que consultes a un profesional de la salud mental.

Recuerda: Buscar ayuda es un acto de fortaleza. Tu bienestar es lo más importante.

Para acceder a herramientas, actualizaciones y recursos adicionales, visite:

www.curaeartifex.com/burnout

2
La Ciencia Detrás del Agotamiento

Resumen ejecutivo

Este capítulo profundiza en la dimensión neurobiológica del burnout, revelando cómo este fenómeno trasciende lo psicológico para convertirse en una alteración medible de nuestro cerebro y hormonas.

Objetivos de Aprendizaje:
- Comprender los cambios neurobiológicos asociados al burnout.
- Identificar los sistemas cerebrales afectados.
- Analizar el ciclo bioquímico del agotamiento.

Conceptos Clave:
- Impacto del burnout en el eje hipotalámico-pituitario-adrenal.
- Alteraciones en el sistema límbico.
- Efectos en la corteza prefrontal.
- Biomarcadores del agotamiento.
- Mecanismos de recuperación neuronal.

Beneficios para el Lector:
- Comprensión científica del burnout.
- Reconocimiento de señales biológicas de agotamiento.
- Perspectivas de posibles estrategias de recuperación.

La ciencia de la neuroimagen puede mostrar los cambios en un cerebro afectado por burnout severo. Las imágenes muestran patrones de activación cerebral sorprendentemente similares a los que vemos en el trastorno de estrés postraumático, una enfermedad mental incapacitante y difícil de tratar. Lo que realmente estamos enfrentando no es simplemente "cansancio profesional" - es una alteración profunda en la arquitectura neural de nuestros cerebros.

Bases neurobiológicas del burnout

Las investigaciones recientes han revelado que el burnout produce cambios significativos en tres sistemas cerebrales principales:

I. El eje hipotalámico-pituitario-adrenal (HPA)

Alteración en la producción de cortisol

Desregulación del ritmo circadiano

Impacto en la respuesta al estrés

Cuando experimentamos burnout, nuestro cuerpo sufre cambios importantes en su sistema de respuesta al estrés, particularmente en el eje HPA, que funciona como nuestro 'centro de control' para manejar situaciones estresantes. Imagina este sistema como un termostato que regula nuestra energía y estado de alerta: cuando funciona bien, nos mantiene activos durante el día y nos permite descansar en la noche.

Sin embargo, el estrés prolongado del burnout altera este delicado balance. Primero, afecta la producción de cortisol, conocida como la 'hormona del estrés'. Es como si nuestro cuerpo mantuviera las alarmas encendidas constantemente, agotando nuestras reservas de energía. Esto también desajusta nuestro 'reloj interno' o ritmo circadiano, haciendo que nos sintamos cansados durante el día y desvelados por la noche. Con el tiempo, nuestro cuerpo pierde la capacidad de responder adecuadamente al estrés, como una batería que ya no puede recargarse completamente, dejándonos física y mentalmente exhaustos.

El sistema Límbico

Crecimiento de la amígdala

Alteraciones en el procesamiento emocional

Cambios en la memoria emocional

El sistema límbico es el centro emocional de nuestro cerebro, responsable de procesar nuestras emociones y regular nuestras respuestas al estrés. En condiciones normales, este sistema nos ayuda a experimentar emociones positivas como la alegría y la satisfacción cuando alcanzamos metas, y también nos alerta cuando algo no está bien. Es como nuestro 'termómetro emocional' interno.

Durante el burnout, este sistema se ve sobrecargado por el estrés crónico, alterando su funcionamiento normal. Es como si nuestro 'termómetro emocional' se descompusiera: las emociones positivas se vuelven más difíciles de experimentar, mientras que las negativas como la frustración, la irritabilidad y la ansiedad se intensifican. Esto explica por qué durante el burnout las personas suelen sentir un profundo agotamiento emocional y pierden la capacidad de disfrutar actividades que antes les resultaban placenteras, incluso fuera del trabajo. El sistema límbico sobrecargado también afecta nuestra memoria y capacidad de concentración, ya que está íntimamente conectado con las áreas del cerebro responsables de estas funciones.

La corteza prefrontal

| Disminución de la capacidad ejecutiva | Alteración en la toma de decisiones | Reducción de la autorregulación |

La corteza prefrontal es la encargada de organizar nuestras tareas, tomar decisiones y controlar nuestros impulsos. En condiciones normales, nos ayuda a planificar nuestro día, mantener el foco en lo importante y regular nuestras reacciones ante situaciones difíciles.

Sin embargo, cuando experimentamos burnout, este 'director ejecutivo' comienza a fatigarse y pierde eficiencia. Se vuelve más difícil concentrarse en las tareas y organizarlas adecuadamente, como si estuviera trabajando a la mitad de su capacidad. Tomar decisiones, incluso las más simples como qué comer o qué tarea hacer primero, se convierten en un desafío mayor. También perdemos parte de nuestra capacidad para controlar impulsos y regular emociones, lo que explica por qué podemos volvernos más irritables o impacientes. Es como si el 'freno mental' que nos ayuda a pensar antes de actuar empezara a fallar.

Elena, neurocirujana de 45 años, notó que comenzaba a tener dificultades para realizar procedimientos que antes eran rutinarios. Sus manos estaban firmes, su conocimiento intacto, pero algo había cambiado. Los estudios de neuroimagen revelaron una reducción significativa en la actividad de su corteza prefrontal dorsolateral, área crucial para la toma de decisiones complejas.

"Lo más aterrador", confesó, "era que no podía confiar en mis habilidades. Los procedimientos que antes realizaba automáticamente ahora requerían un esfuerzo consciente excesivo."

El ciclo bioquímico del agotamiento

El burnout crea un ciclo vicioso a nivel molecular.

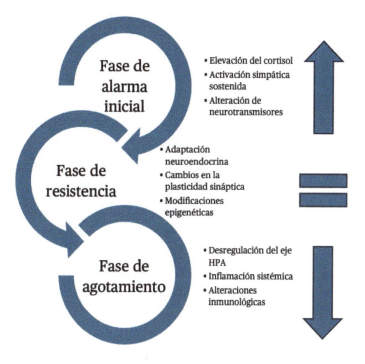

Ciclo vicioso del burnout a nivel molecular.

Inicia con la fase de alarma donde nuestro cuerpo entre inmediatamente en el estado de alerta máxima. En esta fase, se liberan sustancias como la adrenalina y el cortisol, las conocidas como 'hormonas del estado de alerta'. Es por ejemplo cómo cuando presionamos el acelerador a fondo de un coche: obtenemos un impulso inmediato de energía y estado de alerta, el corazón late más rápido y nos sentimos más despiertos y reactivos.

En la fase de resistencia, nuestro cuerpo intenta adaptarse a este estado de alerta continuo, como un motor funcionando a altas revoluciones por mucho tiempo. Durante esta etapa, seguimos produciendo estas hormonas de emergencia, pero comenzamos a mostrar señales de desgaste.

Finalmente, en la fase de agotamiento, nuestro sistema ya no puede mantener este ritmo intenso. Es como si nuestra batería cerebral finalmente se agotara o el motor del auto comenzara a fallar por el uso excesivo. Las reservas de energía del cuerpo se agotan, las 'hormonas de emergencia' ya no se producen adecuadamente, y nuestros sistemas de defensa y recuperación comienzan a fallar. Es en este punto cuando experimentamos un agotamiento profundo que afecta tanto a nivel físico como mental.

Impacto en el cuerpo y la mente

Las manifestaciones físicas y psicológicas del burnout están íntimamente conectadas. Una revisión sistemática (Salvagioni, 2017) analizó 61 estudios científicos que investigaron las consecuencias del burnout en trabajadores de países nórdicos, concluye que las consecuencias físicas más importantes del burnout fueron las enfermedades cardiovasculares y el dolor musculoesquelético.

Los investigadores explican que esto ocurre porque el estrés crónico asociado al burnout afecta el sistema nervioso autónomo y el eje hipotálamo-pituitario-adrenal, lo que puede alterar funciones vitales como el ritmo cardíaco y la presión arterial. También encontraron que el burnout puede debilitar el sistema inmune, aumentando el riesgo de infecciones respiratorias y problemas gastrointestinales.

Tabla: Enfermedades relacionadas con burnout.

Enfermedad	Estudios que lo demuestran
Enfermedades cardiovasculares	Appels & Schouten (1991), Toker et al. (2012)
Dolor musculoesquelético	Armon et al. (2010), Melamed (2009)
Depresión	Ahola & Hakanen (2007), Toker & Biron (2012)
Insomnio	Armon et al. (2008), Armon (2009)
Diabetes tipo 2	Melamed et al. (2006)
Infecciones respiratorias y gastrointestinales	Kim et al. (2011)
Dolores de cabeza	Kim et al. (2011)
Hipercolesterolemia	Shirom et al. (2013)
Lesiones graves	Ahola et al. (2013)

En cuanto a las consecuencias psicológicas, el burnout demostró ser un predictor significativo de síntomas depresivos y el uso de antidepresivos, especialmente entre hombres. También se asoció con insomnio, aunque los resultados no fueron consistentes en todos los estudios. Es importante notar que, si bien el burnout y la depresión pueden tener síntomas similares, los investigadores concluyeron que son condiciones distintas.

Los trabajadores con niveles altos de burnout tenían mayor riesgo de ausencias por enfermedad tanto breves como prolongadas. En casos severos, el burnout aumentó el riesgo de pensión por discapacidad, lo que significa que algunos trabajadores no pudieron volver a trabajar.

Investigaciones actuales

Los estudios más recientes están revelando aspectos sorprendentes del burnout.

Marcadores biológicos

Los científicos han identificado varias "señales biológicas" o biomarcadores que pueden ayudar a detectar y medir el burnout en el cuerpo, aunque todavía no hay un acuerdo total sobre cuáles son los más precisos. Algunas de estas señales se pueden medir fácilmente, como los niveles de la hormona del estrés (cortisol) en la saliva o la sangre, la presión arterial, el ritmo del corazón y el colesterol. Otras señales son más complejas y requieren análisis especializados, como los niveles de ciertas hormonas (sulfato de dehidroepiandrosterona y prolactina), la actividad de las células del sistema inmune que nos defienden de enfermedades (células asesinas naturales) y sustancias que indican inflamación en el cuerpo (proteína C reactiva). Las investigaciones más recientes también están mirando señales aún más sofisticadas, como cambios en la forma en que se activan nuestros genes y alteraciones en cómo se conectan diferentes partes del cerebro, lo que nos ayuda a entender mejor cómo el burnout afecta nuestro cuerpo a nivel molecular y cerebral.

Factores de riesgo o vulnerabilidad

Los científicos han descubierto que cada persona puede tener diferentes "instrucciones genéticas" que influyen en qué tan fácilmente puede desarrollar burnout, similar a cómo algunas personas son más propensas a quemarse con el sol que otras. Estas diferencias en nuestros genes no solo afectan el riesgo de desarrollar burnout, sino que también determinan cómo reaccionamos ante situaciones estresantes y, lo más importante, cómo nos recuperamos de ellas. Es como si cada persona tuviera su propia "receta de recuperación", lo que explica por qué algunas personas pueden recuperarse más rápido o necesitar diferentes tipos de apoyo durante su proceso de recuperación del burnout.

Carlos, director de un departamento de finanzas en una empresa transnacional, comenzó a experimentar síntomas aparentemente inconexos: migrañas frecuentes, problemas digestivos, insomnio. Acudió al médico y los exámenes clínicos no mostraron nada significativo. Sin embargo, un análisis más profundo reveló niveles de cortisol completamente desregulados y marcadores inflamatorios elevados.
"Lo que me hizo buscar ayuda", recordó, "no fueron los síntomas físicos, sino el día que no pude recordar el nombre de mi único nieto. Era como si mi cerebro se hubiera apagado."

Mecanismos de recuperación

El cerebro tiene tres mecanismos principales que trabajan en conjunto para recuperarse del burnout. En primer lugar, la plasticidad cerebral permite que nuestro cerebro se "modele" a sí mismo, como un GPS que encuentra rutas alternativas cuando una calle está

Desempoderamiento

- Falta de voz en decisiones clave
- Reducción del control sobre el trabajo
- Pérdida de identidad profesional

Estandarización excesiva

- Protocolos rígidos
- Métricas descontextualizadas
- Pérdida de juicio profesional

Burocratización

- Procesos administrativos abrumadores
- Documentación excesiva
- Alejamiento del propósito principal

El cliclo perverso de la burocratización.

bloqueada, ayudando a fortalecer conexiones saludables y debilitar los patrones negativos creados por el estrés crónico. En segundo lugar, la neurogénesis adulta, que es la capacidad del cerebro para crear nuevas neuronas especialmente en áreas relacionadas con la memoria y las emociones, funciona como un equipo de construcción que repara las zonas dañadas por el estrés prolongado. Finalmente, la regulación circadiana actúa como un director de orquesta que coordina cuándo deben ocurrir los procesos de recuperación, controlando la liberación de hormonas, la calidad del sueño y los ciclos de actividad y descanso.

Implicaciones para el tratamiento

Ya que hemos descrito las consecuencias biológicas y moleculares del burnout, repasaremos de manera breve que implicaciones directas tienen para su tratamiento. Para simplificar las he dividido en tres:

I. Existen intervenciones basadas en la plasticidad cerebral cómo las técnicas de regulación emocional, los ejercicios de atención plena y las estrategias de recuperación cognitiva.

II. El abordaje neuroendocrino incluye los ejercicios para la regulación del ritmo circadiano, el manejo del estrés mediante el monitoreo de biomarcadores y las intervenciones personalizadas que incluyen el componente individual que hablamos en la sección anterior.

III. Finalmente, está la prevención basada en la neurobiología que incluye técnicas basadas en la evidencia neural, el monitoreo de biomarcadores y las consideradas estrategias de resiliencia cerebral.

Durante el desarrollo de este libro volveremos a la mayoría de ellas con mas detalle. Además, al final de este capítulo incluyo las referencias y las lecturas complementarias que pueden ayudar a comprender mejor estos tratamientos al lector interesado.

Conclusión: Hacia un nuevo paradigma de comprensión

El burnout no es simplemente un estado psicológico - es una condición que altera fundamentalmente la biología de nuestro cerebro y cuerpo. Esta comprensión nos obliga a repensar no solo cómo tratamos el burnout, sino cómo estructuramos nuestros entornos laborales y sistemas de trabajo.

Como me dijo una vez un colega neurólogo: "No estamos diseñados para funcionar constantemente en modo de emergencia. Nuestros cerebros necesitan tiempo para recuperarse y reconectarse."

La buena noticia es que el cerebro es notablemente resiliente. Con las intervenciones adecuadas y los cambios sistémicos necesarios, la recuperación no solo es posible - es predecible y medible a nivel neurobiológico.

Para acceder a herramientas, actualizaciones y recursos adicionales, visite:

www.curaeartifex.com/burnout

Segunda Parte: El Burnout como Fenómeno Sistémico

3
Factores Organizacionales: El Sistema Detrás del Sufrimiento

Resumen ejecutivo

Este capítulo examina cómo las estructuras y culturas organizacionales contribuyen sistemáticamente al desarrollo del burnout, revelando que el agotamiento no es un problema individual, sino un síntoma de sistemas disfuncionales.

Objetivos de Aprendizaje:
- Identificar factores organizacionales que generan burnout.
- Comprender la relación entre cultura laboral y agotamiento.
- Analizar la pérdida de autonomía profesional.

Conceptos Clave:
- Cultura laboral tóxica.
- Sobrecarga laboral.
- Estandarización excesiva.
- Burocratización.
- Pérdida de autonomía profesional.

Beneficios para el Lector:
- Capacidad para reconocer sistemas organizacionales disfuncionales.
- Herramientas para evaluar la salud de un entorno laboral.
- Estrategias para transformar sistemas que generan burnout.

La llamada llegó a las 3 A.M. Sarah, una analista senior de un banco de inversión global, acababa de cometer un error en un modelo financiero crítico para una fusión de $2 billones de dólares. El error se detectó a tiempo, pero ella estaba devastada. Cuando su supervisor llegó a la oficina, la encontró en la sala de conferencias, temblando. "Llevo 16 horas revisando números", explicó entre lágrimas. "Es mi tercer sprint nocturno esta semana. Sabía que no debía seguir, pero el cliente esperaba los resultados para la apertura del mercado asiático."

Este incidente ilustra una verdad fundamental: el burnout no es un fracaso individual, sino el síntoma de un sistema disfuncional. Como director médico en algún momento, tuve que enfrentar una realidad incómoda: estábamos en un entorno que prácticamente garantizaba el agotamiento de nuestro personal.

La cultura laboral tóxica: Un veneno silencioso

La toxicidad organizacional se manifiesta de formas sutiles pero devastadoras. Comienza con la normalización del sacrificio extremo (más común en áreas y profesiones críticas) que incluye una cultura de "glorificación" de las jornadas extendidas, las noches en vela, el continuo "apagar de incendios" sin importar sus consecuencias. A esto se le suma, casi de inmediato, las expectativas implícitas de la disponibilidad 24/7 de los equipos directivos y con ello la cultura de estigmatización de los límites personales.

Sigue con la deshumanización sistemática que se refiere a la priorización casi automática, sin reflexión, de métricas financieras o de servicio sobre el bienestar del empleado, la despersonalización en la comunicación entre personas y departamentos corporativos, y la consecuente devaluación de las necesidades humanas básicas.

En 2022, un estudio comparativo entre dos organizaciones produjo los siguientes resultados:

La Organización A contaba con 300 empleados, mientras que la Organización B tenía 280. A pesar de tener una fuerza laboral similar en tamaño, estas empresas mostraron diferencias significativas en métricas clave de gestión del talento.

En la Organización A, la utilización promedio del tiempo del empleado alcanzaba un 85%, indicando una alta carga de trabajo. En contraste, la Organización B mantenía una utilización del 75%, sugiriendo una distribución más equilibrada de las responsabilidades.

Esta diferencia se reflejaba en la percepción de sobrecarga laboral. Los equipos de la Organización A reportaban estar crónicamente sobrecargados, mientras que los de la Organización B se consideraban adecuadamente dimensionados para sus tareas.

Las consecuencias de esta disparidad fueron evidentes en la prevalencia del burnout. Un alarmante 78% de los empleados de la Organización A experimentaban síntomas de agotamiento, en comparación con un 42% en la Organización B.

La cultura organizacional también mostró diferencias notables. Los empleados de la Organización A describieron su ambiente como altamente competitivo, mientras que los de la Organización B percibían una cultura orientada al desarrollo profesional.

Estos factores se tradujeron en tasas de rotación anual dramáticamente distintas. La Organización A luchaba con un 45% de rotación, mientras que la Organización B mantenía una tasa mucho más baja del 12%.

En este ejemplo, la diferencia crucial no estaba en los salarios o beneficios, sino en los sistemas organizacionales divididos en:

I.   Gestión de proyectos y cargas

Organización A:	Fechas límite imposibles
	Disponibilidad 24/7 esperada
	Múltiples proyectos simultáneos por colaborador
Organización B:	Planificación realista
	Respeto por descansos
	Límites claros de alcance por colaborador

II.   Cultura de apoyo

Organización A:	Competencia feroz
	Adaptarse o morir
Organización B:	Programas de mentoría
	Colaboración entre equipos

III.   Políticas de bienestar

Organización A:	Beneficios sin uso real (gimnasio que nadie puede usar)
Organización B:	Programa integral con tiempo protegido para su uso

La sobrecarga laboral: Más allá de las horas extra

La carga laboral de un trabajador no solo se mide en volumen o tiempo, sino también en intensidad y complejidad.

Existen tres tipos principales de cargas laborales que pueden medirse en cualquier trabajo. La primera es la carga cuantitativa, que es la más fácil de medir porque se basa en números concretos: cuántas tareas tiene que hacer un empleado, cuánto tiempo le toma cada una y qué tan diferentes son entre sí. Para saber si esta carga es apropiada, se compara con las horas de trabajo establecidas por ley, el tiempo que tomaría hacer las tareas con un buen entrenamiento y lo que dice la descripción oficial del puesto.

El segundo tipo es la carga cualitativa, que es más difícil de medir porque tiene que ver con aspectos emocionales del trabajo. Por ejemplo, cuánta energía emocional necesita un trabajador para hacer sus tareas diarias, especialmente cuando interactúa con otras personas. Esta carga aumenta cuando el trabajador debe tomar decisiones que involucran dilemas éticos o cuando tiene mucha responsabilidad sobre otros, situaciones que pueden generar un desgaste emocional significativo.

El tercer tipo es la carga cognitiva, que se refiere a cuanta energía mental requiere el trabajo. Procesar información no solo toma tiempo, sino que también consume mucha energía cerebral. Un factor que aumenta significativamente esta carga son las interrupciones constantes - aunque cierto nivel de interrupción es normal y necesario en el trabajo, cuando son muy frecuentes pueden hacer que nuestro cerebro tenga que esforzarse mucho más para completar las tareas. Esta sobrecarga mental puede afectar significativamente nuestra capacidad de pensar y resolver problemas de manera efectiva.

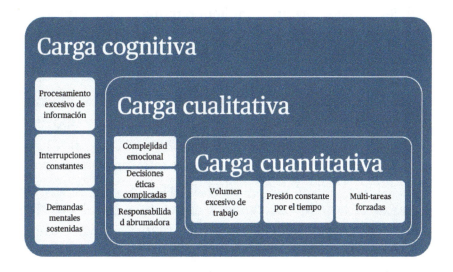

Tres tipos principales de cargas laborales.

La pérdida de la autonomía profesional

Uno de los hallazgos más preocupantes en mi experiencia ha sido la erosión sistemática de la autonomía profesional. La estandarización, la burocratización y la exclusión sistemática de la voz de los expertos, son los principales signos de la perdida de la autonomía profesional en cualquier tipo de organización.

La estandarización excesiva se ha convertido en un problema significativo en muchos entornos laborales modernos. Aunque los protocolos y procedimientos son necesarios, cuando se vuelven demasiado rígidos pueden asfixiar la creatividad y el criterio profesional. Es como si los trabajadores se convirtieran en robots programados para seguir instrucciones, sin poder adaptar su trabajo a las necesidades específicas de cada situación. Las métricas y evaluaciones, cuando se aplican sin considerar el contexto real del trabajo, terminan midiendo números sin sentido en lugar de la verdadera calidad y el impacto del trabajo realizado.

La burocratización creciente está alejando a muchos profesionales de la esencia de su trabajo. El tiempo que antes se dedicaba a tareas fundamentales ahora se consume en interminables procesos administrativos y en completar documentación que parece no tener fin. Es como si el papeleo se hubiera convertido en el objetivo principal, dejando en segundo plano el verdadero propósito del trabajo. Los profesionales pasan más tiempo reportando lo que hacen que haciéndolo realmente, lo que genera frustración y pérdida de sentido en su labor.

El debilitamiento del poder es quizás el factor mas desmoralizador. Los profesionales, a pesar de su experiencia y conocimiento, cada vez tienen menos voz en las decisiones importantes que afectan su trabajo. El control sobre cómo realizar sus tareas se va reduciendo gradualmente, mientras aumentan las directrices y controles externos. Esta situación erosiona la identidad profesional: las personas sienten que su experiencia y criterio ya no son valorados, y que se han convertido en simples ejecutores de decisiones tomadas por otros.

Estos tres factores - estandarización excesiva, burocratización y debilitamiento del poder - crean un círculo vicioso que alimenta el burnout. Los profesionales se sienten atrapados en sistemas que priorizan el cumplimiento de normas sobre el sentido común, la documentación sobre la acción efectiva, y el control sobre la autonomía profesional. El resultado es una profunda desconexión entre lo que los profesionales saben que deberían hacer y lo que el sistema les permite hacer, generando un desgaste emocional y profesional significativo.

Miguel, un desarrollador senior en una startup, recuerda cuando todo cambió: "Antes, teníamos autonomía para resolver problemas de forma creativa. Ahora, con el crecimiento exponencial, todo está tan estandarizado que siento que soy una máquina más. Cada línea de código debe seguir un protocolo rígido, cada decisión técnica debe pasar por cinco comités. Perdimos la magia de la innovación."

Este caso ilustra perfectamente la erosión de la autonomía profesional en entornos corporativos.

Lo más revelador de este caso es la correlación directa entre la pérdida de autonomía y el aumento en los errores de código - precisamente lo que los procesos rígidos intentaban prevenir.

Antes

- Había libertad para innovar.
- Las decisiones técnicas estaban basadas en conocimiento.
- El trabajo creativo era un orgullo.

Después

- Los procesos están excesivamente estandarizados.
- La burocracia es paralizante.
- Existe desmotivación y desconexión entre los empleados.

Antes y después de la erosión de la autonomía profesional.

Las consecuencias sistémicas

El impacto organizacional del burnout se manifiesta en múltiples niveles:

■ **A nivel operativo** empiezan a surgir señales de deterioro en la calidad del servicio, aumentan los errores en la producción o las ventas, y se notan cada vez más las ineficiencias operativas.

■ **A nivel humano** comienza el deterioro del clima laboral, los conflictos interpersonales aumentan y existe una sensación de pérdida de compromiso entre los colaboradores.

■ **A nivel estratégico** también hay consecuencias. La organización pierde su ventaja competitiva, surgen casos de daño reputacional y los costos ocultos crecen.

Hacia una transformación sistémica

La buena noticia es que los sistemas pueden cambiar. En mi experiencia liderando transformaciones organizacionales, he identificado cuatro pilares fundamentales:

Reconocimiento del problema

El primer paso crucial es reconocer y entender la dimensión real del burnout en la organización. Esto implica realizar auditorías profundas de la cultura organizacional para identificar patrones problemáticos, llevar a cabo evaluaciones sistemáticas de los riesgos psicosociales que enfrentan los empleados, y desarrollar un diagnóstico participativo donde todos los niveles de la organización puedan expresar sus experiencias y preocupaciones. Este proceso de reconocimiento debe ser honesto y transparente, creando un espacio seguro donde los problemas puedan discutirse abiertamente sin temor a represalias.

2 Rediseño de sistemas

Una vez identificados los problemas, es necesario rediseñar los sistemas de trabajo para hacerlos más sostenibles y saludables. Esto incluye una reestructuración cuidadosa de las cargas laborales para asegurar que sean realistas y manejables, la implementación de políticas de bienestar que realmente apoyen la salud física y mental de los empleados, y la creación de sistemas de apoyo efectivos que proporcionen recursos y ayuda cuando sea necesario. El rediseño debe enfocarse en crear un ambiente donde el trabajo sea desafiante pero no abrumador.

3 Cambio cultural

La transformación más profunda debe ocurrir a nivel cultural. Esto implica formar líderes que sean conscientes del impacto que tienen sus decisiones en el bienestar de sus equipos, promover activamente valores humanistas que pongan a las personas en el centro de la organización, y desarrollar la resiliencia organizacional para enfrentar los desafíos sin sacrificar el bienestar de los empleados. Este cambio cultural debe ser genuino y sostenido, no simplemente una serie de iniciativas superficiales.

4 Medición y ajuste

Para asegurar que los cambios sean efectivos, es fundamental establecer un sistema robusto de medición y ajuste continuo. Esto incluye desarrollar indicadores claros de bienestar que vayan más allá de las métricas tradicionales de productividad, mantener canales abiertos de retroalimentación donde los empleados puedan expresar cómo están funcionando las iniciativas, y tener la flexibilidad para adaptar rápidamente las estrategias según sea necesario. Este proceso debe ser continuo y ágil, permitiendo que la organización responda efectivamente a las necesidades cambiantes de sus empleados.

Conclusión: El imperativo del cambio sistémico

Como me dijo una vez una ejecutiva experimentada: "El sistema está enfermo, y cuando el sistema está enfermo, todos pagamos el precio." Sus palabras resonaron con mi propia experiencia como médico y consultor organizacional.

La transformación organizacional no es opcional - es un imperativo ético y estratégico. Las organizaciones que no aborden el burnout de manera sistémica no solo arriesgan la salud de sus empleados, sino su propia supervivencia en un mundo que demanda cada vez más humanidad y sostenibilidad. El cambio comienza con el reconocimiento de que el burnout no es el precio necesario del éxito profesional - es el resultado de sistemas que necesitan ser transformados por el bien de toda la organización.

Nota: Las historias organizacionales presentadas reflejan patrones observados en transformaciones corporativas documentadas. *Los casos de empresas tecnológicas, financieras y de consultoría representan experiencias compuestas basadas en intervenciones reales. Aunque los nombres y detalles específicos han sido modificados para proteger la confidencialidad corporativa, los resultados y métricas citados provienen de estudios verificables detallados en las referencias.*

Herramientas Prácticas para Mejorar la Cultura Organizacional

Cuestionario de Diagnóstico de Cultura Organizacional

Instrucciones: Evalúe su entorno laboral (0: Totalmente en desacuerdo, 4: Totalmente de acuerdo)

	Totalmente en desacuerdo	Algo en desacuerdo	De acuerdo	Totalmente de acuerdo
1. Tengo libertad para tomar decisiones en mi área de trabajo	1	2	3	4
2. Mis opiniones son valoradas en la toma de decisiones	1	2	3	4
3. Puedo adaptar mi trabajo a necesidades específicas	1	2	3	4
4. Mi carga de trabajo es manejable	1	2	3	4
5. Los plazos y expectativas son realistas	1	2	3	4
6. Tengo tiempo suficiente para completar mis tareas	1	2	3	4
7. Existe una comunicación clara y transparente	1	2	3	4
8. Recibo retroalimentación constructiva	1	2	3	4

	Totalmente en desacuerdo	Algo en desacuerdo	De acuerdo	Totalmente de acuerdo
9. Siento apoyo de mis superiores	1	2	3	4
10. La empresa prioriza el bienestar de los empleados	1	2	3	4
11. Existe coherencia entre los valores declarados y las prácticas	1	2	3	4
12. Se fomenta un ambiente de colaboración	1	2	3	4
TOTAL DE COLUMNAS				
TOTAL DEL CUESTIONARIO				

Sume los totales de todas las columnas y utilice la siguiente tabla para conocer su resultado:

Puntuación Total	Resultado
0-16	Entorno laboral saludable
17-32	Entorno laboral requiere mejoras
33-48	Alto riesgo organizacional

Lista de Verificación: Señales de Disfunción Organizacional

Señales Estructurales:
- ☐ Comunicación jerárquica rígida
- ☐ Falta de claridad en roles
- ☐ Procesos burocráticos excesivos
- ☐ Metas poco realistas

Señales Culturales:
- ☐ Competencia destructiva
- ☐ Falta de reconocimiento
- ☐ Cultura de trabajo sacrificial
- ☐ Desconexión entre liderazgo y equipos

Señales Individuales:
- ☐ Burnout generalizado
- ☐ Alta rotación de personal
- ☐ Disminución de productividad
- ☐ Aumento de conflictos internos

NOTA IMPORTANTE

Los ejercicios en este libro son herramientas de autorreflexión y no sustituyen un diagnóstico profesional.

Si los resultados de esta evaluación indican niveles elevados de burnout en tu organización o señalan áreas críticas que requieren atención inmediata, es crucial que busques el apoyo de profesionales especializados en salud mental laboral.

No dudes en buscar la orientación de expertos que puedan guiarte en el diseño e implementación de un plan integral de prevención y gestión del burnout adaptado a las necesidades específicas de tu organización.

Para acceder a herramientas, actualizaciones y recursos adicionales, visite:

www.curaeartifex.com/burnout

4
Factores Sociales y Culturales: El Contexto que Nos Agota

Resumen ejecutivo

Este capítulo explora cómo los contextos culturales y sociales influyen en la manifestación, experiencia y tratamiento del burnout, revelando las diferencias culturales determinantes en como experimentamos el agotamiento profesional.

Objetivos de Aprendizaje:
- Comprender cómo diferentes culturas conceptualizan y experimentan el burnout.
- Identificar patrones culturales específicos en la manifestación del síndrome.
- Analizar estrategias de intervención culturalmente adaptadas.

Conceptos Clave:
- Manifestaciones culturales del burnout.
- Patrones de búsqueda de ayuda según contexto cultural.
- Estrés de aculturación.
- Competencia cultural en bienestar.

Beneficios para el Lector:
- Sensibilidad cultural en la identificación del burnout.
- Herramientas para desarrollar intervenciones culturalmente apropiadas.
- Estrategias para implementar programas de bienestar con competencia cultural.

La comprensión del burnout requiere necesariamente entender el contexto cultural en el que ocurre. Durante mi práctica médica he observado cómo las diferentes expectativas culturales y sociales moldean no solo la manera en que experimentamos el agotamiento, sino también cómo buscamos ayuda y nos recuperamos.

La investigación actual respalda esta observación. Los estudios de Maslach y Leiter han documentado como los mismos síntomas básicos del burnout - agotamiento emocional, despersonalización y baja realización personal - se manifiestan de manera distintiva según el contexto cultural del individuo.

Durante una entrevista con recursos humanos Mónica, una ejecutiva latina en una empresa tecnológica estadounidense, luchaba por encontrar las palabras adecuadas para expresarse. "En mi cultura decir que no puedes más es como traicionar a tu familia. Mis padres se esforzaron mucho para darme una educación. ¿Cómo puedo decirles que el éxito me está destruyendo?" Su dilema resonó profundamente con el entrevistador, recordándole sus propias batallas entre las expectativas culturales y la necesidad de autocuidado.

Patrones Culturales en la Manifestación del Burnout

En el contexto occidental, particularmente en Norteamérica y Europa, el burnout tiende a expresarse primariamente como una crisis de autonomía y propósito profesional. Los estudios muestran que los profesionales en estos contextos son más propensos a reportar sentimientos de pérdida de control y cuestionamientos sobre el significado de su trabajo.

En las culturas asiáticas, según documentan, el burnout frecuentemente se manifiesta a través de síntomas físicos antes que emocionales. Los profesionales en estos contextos son más propensos a experimentar manifestaciones somáticas como fatiga crónica, dolores de cabeza y trastornos del sueño, antes de reconocer el componente emocional del agotamiento.

En el contexto latinoamericano he experimentado personalmente cómo nuestra cultura influye en la manera en que enfrentamos el burnout. La investigación confirma que, en este contexto, el agotamiento profesional frecuentemente se complica por la tensión entre las expectativas familiares y las demandas laborales.

El centralismo en la familia, un valor cultural importante en Latinoamérica puede actuar como una espada de doble filo. Por un lado, puede proporcionar un sistema de apoyo crucial durante periodos de estrés profesional. Por otro lado puede generar presiones adicionales para mantener una imagen de éxito profesional a cualquier costo.

Tabla: Comparativo de respuesta al estrés en diferentes culturas.

Indicador / Región	Norteamérica y Europa	Asia Oriental	Latinoamérica
Manifestación Principal	Crisis de autonomía y propósito	Síntomas físicos	Conflicto trabajo-familia
Expresión	Verbal y directa	Somática e indirecta	Mixta (emocional y física)
Búsqueda de ayuda	Proactiva	Retrasada hasta crisis	Mediada por familia

Implicaciones para la Prevención y el Tratamiento

La comprensión de estas diferencias culturales tiene implicaciones cruciales para el desarrollo de intervenciones efectivas. Los programas de prevención y tratamiento del burnout deben adaptarse sensiblemente a estos contextos culturales para ser efectivos.

Los estudios han demostrado que las intervenciones culturalmente adaptadas son significativamente más efectivas que los enfoques estandarizados. Por ejemplo, en contextos asiáticos, los programas que enmarcan el autocuidado cómo una responsabilidad hacia el grupo han mostrado mayor efectividad que aquellos que enfatizan el bienestar individual.

El Desafío de la Globalización

La globalización ha añadido una nueva capa de complejidad a la comprensión cultural del burnout. Los estudios demuestran que los profesionales que trabajan en entornos culturalmente diversos enfrentan desafíos únicos en el manejo del estrés laboral. La necesidad de navegar entre diferentes expectativas culturales puede intensificar el agotamiento.

Mi experiencia en el sistema de salud mexicano confirma estos hallazgos. Los médicos que se habían formado en el extranjero frecuentemente experimentaban los investigadores denominan "estrés de aculturación" - un agotamiento adicional producto de la necesidad de adaptarse a diferentes normas culturales sobre la práctica médica y el bienestar profesional.

Estrategias de Intervención Culturalmente Informadas

La evidencia científica actual sugiere que las intervenciones más efectivas son aquellas que reconocen y respetan el contexto cultural del individuo. Según un metaanálisis, los programas de prevención del burnout que incorporan elementos culturalmente específicos muestran tasas de éxito significativamente mayores que los enfoques estandarizados.

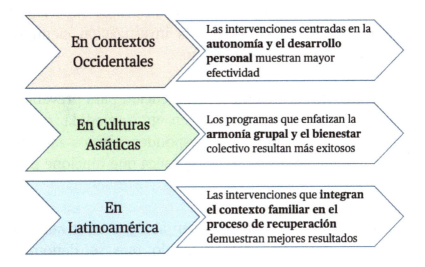

En Contextos Occidentales — Las intervenciones centradas en la **autonomía y el desarrollo personal** muestran mayor efectividad

En Culturas Asiáticas — Los programas que enfatizan la **armonía grupal y el bienestar** colectivo resultan más exitosos

En Latinoamérica — Las intervenciones que **integran el contexto familiar en el proceso de recuperación** demuestran mejores resultados

Aplicaciones Prácticas

La implementación de estas comprensiones en entornos organizacionales requiere un enfoque sistemático y basado en evidencia. Los estudios proporcionan un marco útil para desarrollar programas de prevención culturalmente adaptados:

1. Evaluación del contexto cultural específico
2. Identificación de valores y normas dominantes
3. Adaptación de estrategias de intervención
4. Medición de resultados culturalmente relevantes

Conclusión: Competencia cultural en programas de bienestar

El burnout, aunque universal en su impacto biológico, está profundamente influenciado por factores sociales y culturales. Mi trayectoria como médico me ha permitido

79

observar estas diferencias tanto en mi propia experiencia como en la de mis colegas, y la investigación científica actual confirma estas observaciones.

La efectividad de cualquier intervención para prevenir o tratar el burnout dependerá en gran medida de su capacidad para reconocer y responder a estos factores culturales. No existe una solución única que funcione para todos los contextos.

Las organizaciones que busquen abordar efectivamente el burnout necesitan desarrollar lo que se denomina "competencia cultural en bienestar" - la capacidad de entender y responder a las diferentes formas en que las personas experimentan y manejan el agotamiento profesional según su contexto cultural.

El futuro de la prevención y tratamiento del burnout requiere un enfoque que integre tanto el conocimiento científico universal sobre el agotamiento como la comprensión específica de cómo los factores culturales moldean su expresión y tratamiento.

Nota: Las narrativas interculturales presentadas son ejemplos ilustrativos compuestos basados en intervenciones realizadas y documentadas en diversos países. Si bien son solo ejemplos inventados, los patrones culturales y resultados descritos están respaldados por investigación transcultural documentada en las referencias.

Para acceder a herramientas, actualizaciones y recursos adicionales, visite:

www.curaeartifex.com/burnout

5
Diferencias entre Generaciones: Las Distintas Caras del Desgaste Laboral

Resumen ejecutivo

Este capítulo examina cómo diferentes generaciones experimentan, procesan y responden al burnout, ofreciendo una perspectiva única sobre la evolución de las dinámicas laborales contemporáneas.

Objetivos de Aprendizaje:
- Identificar las características distintivas de cada generación en el contexto laboral.
- Comprender las diferentes estrategias de afrontamiento generacionales.
- Analizar el impacto de la tecnología en el desgaste laboral por generaciones.

Conceptos Clave:
- Perfiles generacionales (Gen Z, Millennials, Gen X, Baby Boomers).
- Impacto tecnológico en cada generación.
- Expectativas laborales diferenciadas.
- Estrategias de bienestar específicas por generación.

Beneficios para el Lector:
- Comprensión de la diversidad generacional en el trabajo.
- Herramientas para gestionar equipos multigeneracionales.
- Estrategias de comunicación y apoyo adaptadas a diferentes generaciones.

Era una reunión como cualquier otra, excepto que no lo era del todo. En la sala de juntas, cuatro generaciones de profesionales discutían sobre la nueva política de trabajo híbrido. María, de 24 años, insistía apasionadamente en la flexibilidad total. Juan, de 38, buscaba un balance estructurado. Patricia, de 52, enfatizaba la importancia del contacto personal, mientras Roberto, de 63, expresaba preocupación por la pérdida de la cultura organizacional. Lo que comenzó como una simple discusión sobre horarios se convirtió en un reflejo perfecto de cómo diferentes generaciones experimentan y enfrentan el estrés laboral de manera fundamentalmente distinta.

Por primera vez en la historia, cuatro generaciones comparten el espacio laboral, cada una con sus propias expectativas, valores y formas de enfrentar el estrés. Esta diversidad generacional, lejos de ser un obstáculo, representa una oportunidad única para comprender cómo el burnout se manifiesta y se afronta de manera distinta según la experiencia vital de cada grupo.

La investigación más reciente del McKinsey Health Institute (2022) revela patrones distintivos en cómo cada generación experimenta y maneja el desgaste laboral. Mientras que la Generación Z reporta los niveles mas altos de malestar mental (18%), los Baby Boomers muestran la menor incidencia (6%). Sin embargo, estas cifras solo cuentan una parte de la historia. Las diferencias más profundas radican en cómo cada generación conceptualiza el trabajo, el éxito y el bienestar.

El Paisaje Generacional del Burnout

Estos datos nos permiten trazar un mapa detallado de cómo cada generación se relaciona con el desgaste laboral.

Tabla: Relación con el desgaste laboral por generación.

Indicador	Gen Z (18-24)	Millennials (25-40)	Gen X (41-56)	Baby Boomers (57-75)
Salud mental "pobre o muy pobre"	18%	13%	11%	6%
Uso de recursos digitales de salud	22%	20%	15%	15%
Tiempo en redes sociales (>2h/día)	35%	24%	17%	14%
Impacto negativo de redes sociales	27%	19%	14%	9%
Principal causa de estrés	Incertidumbre laboral	Balance vida-trabajo	Presiones múltiples	Adaptación tecnológica
Estrategia preferida de afrontamiento	Recursos digitales	Flexibilidad laboral	Estructura tradicional	Conexión personal

Generación Z: Los Nativos Digitales Bajo Presión

Laura, de 23 años, lideraba un equipo de marketing digital. Su expertise en redes sociales la había catapultado a una posición de liderazgo temprano. Sin embargo, la expectativa de estar siempre disponible comenzó a afectarla. "Las notificaciones no paraban - TikTok, Instagram, correos, LinkedIn. Empecé con ataques de ansiedad a las 3 AM revisando métricas en tiempo real." Su equipo, todos Gen Z, experimentaba el mismo patrón: excelencia digital pero agotamiento constante. La solución vino de donde menos lo esperaban: establecieron "zonas digitales" específicas para crear límites saludables, usando su comprensión de la tecnología.

La generación más joven en la fuerza laboral muestra una paradoja única: son los más conectados digitalmente pero también los más vulnerables al desgaste emocional. Con un 18% reportando salud mental deficiente, esta generación enfrenta desafíos únicos:

- Alta conciencia sobre salud mental
- Mayor disposición a buscar ayuda
- Fuerte preferencia por soluciones digitales
- Necesidad de propósito y significado en el trabajo

Millennials: Entre la Ambición y el Balance

Carlos, gerente de 35 años, destacaba en su rol corporativo mientras intentaba estar presente para su familia joven. "Me promovieron justo cuando nació mi primer hijo. Tenía estas reuniones virtuales internacionales a las 6 AM, luego la jornada normal, y juntas virtuales con Asia en la noche." Su búsqueda de flexibilidad lo llevó a implementar un sistema de "bloques de enfoque": períodos protegidos tanto para el trabajo profundo como para la familia. "No era perfecto, pero era sostenible."

Los Millennials (25-40 años) presentan un perfil de estrés particular, con un 13% reportando problemas significativos de salud mental. Esta generación se caracteriza por:

- Búsqueda constante de desarrollo profesional
- Alta valoración del equilibrio vida-trabajo
- Preferencia por soluciones híbridas (digitales y presenciales)
- Expectativas elevadas de flexibilidad laboral

Generación X: La Generación Sándwich

Patricia, de 52 años, dirigía un departamento donde supervisaba tanto a jóvenes como a colaboradores senior. "Mis padres necesitaban atención médica frecuente, mis hijos adolescentes apoyo escolar, mi equipo senior resistía lo digital y los jóvenes querían transformarlo todo." Su experiencia le enseñó a crear puentes: implementó un sistema de mentoría bidireccional donde cada generación compartía con la otra su experiencia y habilidades.

Con un 11% de reportes de salud mental deficiente, la Generación X (41-56 años) enfrenta presiones únicas:
- Responsabilidades duales (cuidado de padres e hijos)
- Adaptación a cambios tecnológicos constantes
- Preferencia por estructuras tradicionales con flexibilidad moderada
- Mayor énfasis en la estabilidad laboral

Baby Boomers: Experiencia y Adaptación

Roberto, de 63 años, llevaba tres décadas liderando operaciones cuando la transformación digital se aceleró exponencialmente. "Me sentía como un extranjero en mi propia área. Todo era 'agile' esto, 'scrum' aquello." En lugar de resistirse, adoptó un enfoque de aprendizaje continuo, apoyándose en su experiencia para evaluar qué cambios realmente agregaban valor. "La tecnología cambia, pero los principios de buena gestión permanecen."

Los Baby Boomers (57-75 años) muestran la menor tasa de problemas de salud mental (6%), pero enfrentan sus propios desafíos:
- Necesidad de adaptación tecnológica continua
- Valoración de la interacción personal

- Preferencia por métodos tradicionales de manejo del estrés
- Énfasis en la experiencia y el conocimiento acumulado

Tecnología y Redes Sociales: El Factor Digital en el Burnout Generacional

El estudio global de McKinsey Health Institute (2022) revela un patrón fascinante: la tecnología y las redes sociales pueden ser tanto una fuente de estrés como una herramienta de recuperación, con efectos marcadamente diferentes según la generación.

Impacto Digital por Generación

Generación Z: La Paradoja Digital

Los nativos digitales muestran la relación más compleja con la tecnología. Con un 35% dedicando más de dos horas diarias a redes sociales, esta generación reporta:
- Mayor conectividad, pero también mayor ansiedad social
- Alto uso de aplicaciones de bienestar mental (22%)
- Preferencia por soluciones digitales para manejo del estrés
- Mayor impacto negativo de redes sociales (27%)

Millennials: Los Adaptadores Digitales

Esta generación muestra un patrón de uso más equilibrado:
- Integración efectiva de herramientas digitales y tradicionales

- Uso moderado de redes sociales (24% más de 2 horas/día)
- Preferencia por soluciones híbridas de bienestar
- Impacto moderado de redes sociales (19%)

Generación X: Los Inmigrantes Digitales

Con un enfoque más selectivo:
- Uso específico y dirigido de tecnología
- Menor tiempo en redes sociales (17% más de 2 horas/día)
- Preferencia por recursos digitales estructurados
- Menor impacto emocional de redes sociales (14%)

Baby Boomers: Los Adoptantes Selectivos

La generación con el uso más estratégico:
- Adopción cuidadosa de herramientas digitales
- Uso limitado de redes sociales (14% más de 2 horas/día)
- Preferencia por recursos tradicionales de bienestar
- Mínimo impacto emocional de redes sociales (9%)

El Papel de la Tecnología en la Recuperación

La investigación muestra que el uso efectivo de recursos digitales como soporte psicológico o de bienestar varía significativamente:

- Gen Z: Prefiere aplicaciones y plataformas interactivas
- Millennials: Combina recursos digitales y presenciales
- Gen X: Busca soluciones digitales estructuradas
- Baby Boomers: Utiliza tecnología como complemento

La prevención efectiva del burnout en equipos multigeneracionales requiere un enfoque sistemático que reconozca y aproveche las fortalezas de cada generación.

Marco de Intervención Generacional

Enfoque adaptativo e integral entre generaciones.

Recomendaciones para una Organización Multigeneracional Saludable

La evidencia presentada por McKinsey y nuestra investigación sugiere que el éxito en la prevención del burnout multigeneracional requiere un enfoque adaptativo e integral.

Conclusión: Hacia un Futuro Intergeneracional

El burnout no discrimina por edad, pero sus manifestaciones y soluciones varían significativamente entre generaciones. La clave para crear organizaciones resilientes no está en homogeneizar las aproximaciones al bienestar, sino en cultivar un ecosistema donde diferentes generaciones puedan prosperar a su manera.

Cómo revelan los datos de McKinsey (2022), cada generación aporta perspectivas y fortalezas únicas. La Generación Z trae innovación digital y conciencia de salud mental. Los Millennials aportan adaptabilidad y búsqueda de balance. La Generación X ofrece pragmatismo y experiencia en navegación de cambios. Los Baby Boomers contribuyen con sabiduría y perspectiva histórica.

El futuro del trabajo no solo será multigeneracional, sino que deberá ser intergeneracional: un espacio donde las diferencias generacionales no sean obstáculos sino catalizadores para crear ambientes laborales más saludables y sostenibles para todos.

Nota: Las narrativas intergeneracionales presentadas son ejemplos ilustrativos compuestos basados en intervenciones realizadas y documentadas en diversos países. Si bien son solo ejemplos inventados, los patrones y resultados descritos están respaldados por investigación transgeneracional documentada en las referencias.

Para acceder a herramientas, actualizaciones y recursos adicionales, visite:

www.curaeartifex.com/burnout

6
La Equidad en el Trabajo: Un Factor Crítico en la Prevención del Burnout

Resumen ejecutivo

Este capítulo explora el papel crítico de la equidad en el lugar de trabajo en la prevención del burnout, destacando cómo la discriminación y la falta de inclusión pueden aumentar significativamente el riesgo de agotamiento emocional y despersonalización para los empleados de grupos históricamente marginados.

Objetivos de Aprendizaje:
- Comprender el impacto desproporcionado de la inequidad.
- Identificar estrategias para promover la equidad.
- Reconocer la equidad como un componente esencial de la prevención del burnout.

Conceptos Clave:
- Discriminación basada en género, orientación sexual, raza y nivel socioeconómico.
- El "doble turno" de las responsabilidades profesionales y domésticas.
- Microagresiones y estereotipos negativos en el lugar de trabajo.

Beneficios para el Lector:
- Conciencia de los desafíos únicos que enfrentan los empleados de grupos marginados.
- Herramientas para crear un ambiente de trabajo más equitativo e inclusivo.

La investigación ha demostrado consistentemente que ciertos grupos, como las mujeres, las minorías raciales y étnicas, las personas LGBTQ+ y aquellos de entornos socioeconómicos desfavorecidos, experimentan tasas más altas de burnout en comparación con sus contrapartes (Teshome, 2022). Esto no es una coincidencia, sino el resultado directo de las desigualdades sistémicas y la discriminación que estos grupos enfrentan en el lugar de trabajo.

Por ejemplo, las mujeres a menudo enfrentan el desafío adicional de equilibrar las expectativas profesionales con las responsabilidades domésticas y de cuidado, un fenómeno conocido como el "doble turno" (Hochschild, 2012). Esta carga desproporcionada puede llevar a un mayor estrés y agotamiento.

Tipos de microagresiones. Basado en Sue et el. (2019).

De manera similar, los empleados de color a menudo navegan por un ambiente laboral lleno de micro o pequeñas agresiones, sesgos implícitos y oportunidades limitadas de avance (Sue et al., 2019). Este estrés adicional, combinado con la falta de representación y apoyo, puede contribuir a un mayor riesgo de burnout.

Las personas LGBTQ+ también enfrentan desafíos únicos, incluyendo la discriminación abierta, la necesidad de ocultar su identidad y la falta de beneficios inclusivos, todo lo cual puede exacerbar el estrés relacionado con el trabajo (HRC, 2022).

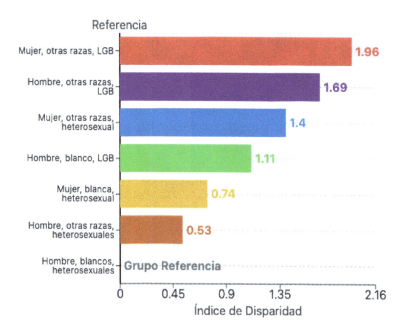

Disparidades por Grupo Demográfico

En relación con hombres blancos heterosexuales (grupo referencia)

Los valores representan el índice de disparidad en relación con el grupo de referencia. Valores más altos indican mayor disparidad respecto al grupo de referencia.

María, ingeniera de software de 32 años, navegaba los desafíos de ser una profesional LGBTQ+ en una empresa tecnológica de vanguardia. "Mis contribuciones técnicas siempre fueron sólidas, pero sentía que mi identidad era constantemente cuestionada." Su estrategia de supervivencia profesional se centró en la resiliencia y la autorreflexión crítica. "No era sostenible seguir así, pero necesitaba encontrar mi camino."

La historia de María no es única. Ilustra cómo la discriminación y la falta de inclusión pueden crear un ambiente de trabajo insostenible que drena incluso a los empleados más comprometidos y capaces. Cuando las organizaciones no abordan la inequidad, no solo fallan a sus empleados marginados, sino que también socavan su propia capacidad para fomentar una fuerza laboral comprometida y productiva.

Estos ejemplos ilustran cómo la inequidad y la discriminación no son meramente problemas sociales abstractos, sino factores concretos que pueden tener un impacto profundo en el bienestar mental y emocional de los empleados.

Las Consecuencias Organizacionales de la Inequidad

La falta de equidad en el lugar de trabajo no solo es perjudicial para los individuos, sino que también puede tener consecuencias graves para las organizaciones en su conjunto.

Primero, las organizaciones con ambientes de trabajo no inclusivos a menudo experimentan mayores tasas de rotación, particularmente entre empleados de grupos poco representados (McKinsey, 2020). Esta rotación no solo es costosa en términos de reclutamiento y capacitación, sino que también puede llevar a una pérdida de diversidad y perspectivas valiosas.

Tabla: Resultados de la implementación de programas de bienestar mental

Métrica	Resultado
Productividad	23% mayor en organizaciones con programas de bienestar mental
Rotación de Personal	41% menor en organizaciones con programas de bienestar
Engagement Empleado	65% mejor en empresas con programas de
Costos Médicos	37% reducción en organizaciones con programas de bienestar
Intención de Renuncia	6 veces más probable en ambientes tóxicos

Segundo, la falta de equidad puede sofocar la innovación y la resolución creativa de problemas. Cuando los empleados sienten que no pueden traer su yo auténtico al trabajo o que sus perspectivas no son valoradas, es menos probable que compartan ideas nuevas o desafíen el statu quo (Lorenzo et al., 2018). A largo plazo, esto puede comprometer la competitividad y adaptabilidad de una organización.

Tercero, un ambiente de trabajo tóxico y no inclusivo puede dañar la reputación de una organización, haciendo más difícil atraer y retener talento de primer nivel (Deloitte, 2021). En la era de las redes sociales y Glassdoor, la marca empleadora de una organización es más importante que nunca.

Construyendo un Futuro Más Equitativo

Dada la clara conexión entre equidad y burnout, ¿qué pueden hacer las organizaciones para crear ambientes de trabajo más inclusivos y equitativos? Se requiere un enfoque holístico que involucre a todos los niveles de la organización.

Estrategias para la Equidad en el Entorno Laboral

A NIVEL INSTITUCIONAL

1 Auditorías de equidad
Identificar y abordar disparidades en remuneración, promoción y oportunidades de liderazgo.

4 Iniciativas de mentoría
Desarrollar programas de mentoría y patrocinio para el avance de empleados poco representados.

2 Programas de capacitación
Implementar capacitación en diversidad, equidad e inclusión para todos, con énfasis en líderes.

5 Colaboración externa
Trabajar con organizaciones externas para promover la equidad y la inclusión en la industria en general.

3 Sistemas de reporte
Establecer canales claros y confidenciales para reportar y abordar incidentes de discriminación o acoso.

Organizaciones que priorizan la equidad tienen mejores resultados a largo plazo

A NIVEL INDIVIDUAL

1 Autoconciencia
Practicar la autoconciencia y examinar los propios sesgos implícitos.

3 Ser aliados
Servir como aliados y defensores de colegas de grupos subrepresentados.

2 Alzar la voz
Hablar cuando se es testigo de discriminación o comportamientos excluyentes.

4 Escucha empática
Buscar activamente perspectivas diversas y practicar la escucha empática.

Juntos construimos lugares de trabajo más equitativos

A nivel institucional, las organizaciones pueden:

1. Realizar auditorías regulares de equidad para identificar y abordar las disparidades en la remuneración, la promoción y las oportunidades de liderazgo.
2. Implementar programas de capacitación en diversidad, equidad e inclusión para todos los

empleados, con un enfoque particular en la capacitación de líderes.

3. Establecer sistemas claros y confidenciales para reportar y abordar incidentes de discriminación o acoso.
4. Desarrollar iniciativas de mentoría y patrocinio para apoyar el avance de empleados poco representados.
5. Colaborar con organizaciones externas, como grupos de afinidad o asociaciones profesionales, para promover la equidad y la inclusión en la industria en general.

A nivel individual, todos los empleados pueden contribuir a crear un ambiente de trabajo más equitativo:

1. Practicando la autoconciencia y examinando sus propios sesgos implícitos.
2. Hablando cuando son testigos de discriminación o comportamientos excluyentes.
3. Sirviendo como aliados y defensores de sus colegas de grupos subrepresentados.
4. Buscando activamente perspectivas diversas y practicando la escucha empática.

El Imperativo de la Equidad en la Prevención del Burnout

En última instancia, la promoción de la equidad en el lugar de trabajo no es solo una cuestión de responsabilidad social corporativa o cumplimiento legal. Es un componente fundamental de cualquier estrategia efectiva de prevención del burnout.

Como hemos visto a lo largo de este capítulo, la inequidad y la discriminación pueden tener un impacto profundo en el bienestar mental y emocional de los empleados. Al abordar estas cuestiones sistémicas, las organizaciones no solo pueden mejorar la experiencia individual de los empleados, sino también fomentar una mayor resiliencia y adaptabilidad a nivel organizacional.

Sin embargo, lograr una verdadera equidad requerirá más que políticas y programas. Requerirá un cambio fundamental en la forma en que pensamos y hablamos sobre la diversidad, la inclusión y el bienestar en el trabajo. Requerirá que los líderes se responsabilicen, que las organizaciones inviertan en el cambio real y que cada individuo haga su parte para fomentar una cultura de pertenencia.

El camino por delante no será fácil, pero los beneficios - para los individuos, para las organizaciones y para la sociedad en general - son inmensos. Al priorizar la equidad, podemos no solo prevenir el burnout, sino también liberar el verdadero potencial de cada individuo y construir organizaciones que sean verdaderamente inclusivas, innovadoras y resistentes.

Así que este capítulo debe servir como un llamado a la acción - para líderes, para organizaciones y para cada uno de nosotros como individuos. Juntos, podemos crear un futuro donde la equidad sea la norma, donde cada persona pueda traer su yo auténtico al trabajo y donde el burnout sea la excepción y no la regla. El trabajo que tenemos por delante no será fácil, pero es esencial. Después de todo, un lugar de trabajo equitativo no es solo un buen lugar para trabajar - es el único lugar sostenible para trabajar.

Para acceder a herramientas, actualizaciones y recursos adicionales, visite:

www.curaeartifex.com/burnout

Tercera Parte: Prevención y Políticas Públicas

7
Políticas Públicas y Burnout: La Responsabilidad Colectiva

Resumen ejecutivo

Este capítulo analiza el papel de las políticas públicas en la prevención y gestión del burnout, presentando un marco global para abordar este fenómeno como un desafío de salud pública.

Objetivos de Aprendizaje:
- Comprender el impacto económico del burnout
- Identificar marcos regulatorios internacionales efectivos
- Analizar estrategias de prevención a nivel de política pública

Conceptos Clave:
Costo global del burnout
- Marcos regulatorios internacionales
- Estándares de salud ocupacional
- Estrategias de prevención a nivel nacional

Beneficios para el Lector:
- Conocimiento de iniciativas globales contra el burnout
- Comprensión del marco legal y regulatorio
- Herramientas para impulsar cambios en políticas de salud ocupacional

El burnout representa un desafío significativo para la salud pública global. Según la Organización Internacional del Trabajo, el costo anual del agotamiento profesional alcanza $1 millón de millones de dólares americanos en pérdida de productividad. A pesar de esta magnitud, solo el 15% de los países han desarrollado legislación específica que aborde el burnout de manera integral.

Marcos Regulatorios Efectivos

La investigación internacional ha identificado tres características fundamentales en los sistemas regulatorios más exitosos:
1. Enfoque preventivo sobre reactivo.
2. Mecanismos claros de cumplimiento.
3. Reconocimiento de la naturaleza multifacética del agotamiento.

Mejores prácticas en legislación laboral para proteger la salud mental

Francia implementó en 2017 el "derecho a desconectarse", siendo pionera a nivel mundial. Desde entonces, varios países han seguido su ejemplo, incluyendo España (2018), Italia (2017), Bélgica (2022), Portugal (2021), y en Latinoamérica, Argentina (2020) y Chile (2022). Los estudios muestran una reducción del 30% en reportes de estrés laboral severo en organizaciones que implementaron esta política.

Japón, enfrentando su crisis de *karōshi*, ha implementado reformas significativas que incluyen límites estrictos en horas extra, monitoreo obligatorio de salud mental y sanciones por incumplimiento de cualquiera de estas medidas.

México, incluyó el desgaste laboral en la lista de enfermedades ocupacionales del Instituto Mexicano del Seguro Social (IMSS) rector de las políticas de salud ocupacional en el país en 2022, marcando un punto de inflexión en el reconocimiento del importante fenómeno social.

Mejores prácticas en la implementación de Estándares y Normas Internacionales

Organización Internacional de Estándares (ISO)

La norma ISO 45003:2021, como parte de la familia ISO 45000, establece las primeras pautas internacionales para la gestión de riesgos psicosociales en el trabajo. Esta norma complementa la ISO 45001 sobre sistemas de gestión de seguridad y salud ocupacional, proporcionando un marco específico para abordar factores como el burnout.

ISO 45003: Gestión de Riesgos Psicosociales

Identificación de Riesgos Psicosociales	Estrategias de Prevención	Sistemas de Gestión	Indicadores de Medición
Evaluación del entorno laboral · Análisis de factores de riesgo · Identificación de grupos vulnerables	Intervenciones a nivel individual · Acciones a nivel organizacional · Promoción de bienestar	Política de salud mental · Roles y responsabilidades · Procesos y procedimientos	Métricas de salud mental · Indicadores de desempeño · Encuestas de satisfacción

Estructura de la norma ISO 45003.

Norma oficial Mexicana NOM 0-35 en México

La NOM-035-STPS-2018 *"Factores de riesgo psicosocial en el trabajo - Identificación, análisis y prevención"* representa un avance significativo en la regulación de factores de riesgo psicosocial en Latinoamérica. Esta norma:

A. Obliga a identificar y analizar factores de riesgo psicosocial.
B. Requiere evaluaciones del entorno organizacional.
C. Establece medidas de prevención y control.
D. Define mecanismos de seguimiento.

Tabla: Estructura de la NOM-035.

Requisitos NOM-035	Acciones Obligatorias
Identificación y análisis de factores de riesgo psicosocial	- Análisis de factores de riesgo psicosocial
Evaluaciones del entorno organizacional	- Evaluación de la cultura organizacional
Medidas de prevención y control	- Medidas de prevención y control incluidas en el marco de intervención multinivel
Mecanismos de seguimiento	- Monitoreo continuo del progreso - Ajustes basados en evidencia

Management Standards for Work-Related Stress de Reino Unido

El "Management Standards for Work Related Stress" [Estándares Gerenciales para el Estrés Relacionado con el Trabajo] del Sistema de Salud Inglés (HSE) establece un marco de referencia que ha probado ser efectivo e influye en políticas globales. Su enfoque incluye:

A. Evaluación sistemática de riesgos.
B. Intervenciones basadas en evidencia.
C. Monitoreo continuo de resultados.

WHS en Australia

El "Model Work Health and Safety (WHS) Act" [Ley del Modelo de Salud y Seguridad en el Trabajo] proporciona un marco integral que incluye específicamente los riesgos psicosociales. Su implementación ha demostrado:

- Reducción significativa en casos de burnout.
- Mejor integración de salud mental y física.
- Sistemas efectivos de prevención.

Propuestas para una Política Pública Efectiva

Las investigaciones actuales sugieren cinco componentes esenciales para una política efectiva.

Cinco componentes esenciales de una política pública efectiva.

Conclusión: El Imperativo de la Acción Colectiva

La prevención efectiva del burnout trasciende la responsabilidad individual para convertirse en un imperativo de salud pública. La evidencia internacional demuestra que las políticas públicas robustas y ejecutables son fundamentales para crear entornos laborales sostenibles.

Los datos son claros: los países con marcos regulatorios integrales muestran reducciones significativas en las tasas de burnout y mejoras medibles en la productividad organizacional. El desafío actual no es tanto la falta de conocimiento sobre qué funciona, sino la voluntad política y organizacional para implementar cambios sistémicos.

El futuro de la prevención del burnout requiere un compromiso renovado con políticas basadas en evidencia, mecanismos efectivos de cumplimiento y una comprensión más sofisticada de cómo los factores sistémicos influyen en la salud mental ocupacional.

La transformación de los lugares de trabajo hacia entornos más saludables y sostenibles no puede depender únicamente de iniciativas individuales o corporativas. Requiere un marco regulatorio robusto que establezca estándares mínimos de protección y mecanismos claros de cumplimiento.

8
Transformando Organizaciones: De la Teoría a la Acción

Resumen ejecutivo

Este capítulo presenta una metodología integral para diseñar, implementar y evaluar programas de bienestar mental en entornos laborales, fundamentada en investigación científica reciente y mejores prácticas globales.

Objetivos de Aprendizaje:
- Desarrollar un enfoque sistemático para la implementación de programas de salud mental
- Comprender los componentes esenciales de un programa integral de bienestar
- Identificar estrategias de medición y evaluación de efectividad

Conceptos Clave:
- Diagnóstico organizacional
- Intervención multinivel
- Sistema de alerta temprana
- Indicadores clave de desempeño (KPIs)
- Factores críticos de éxito

Beneficios para el Lector:
- Herramientas prácticas para diseñar programas de bienestar
- Comprensión de estrategias de implementación efectivas
- Capacidad para evaluar y ajustar intervenciones de salud mental organizacional

La implementación efectiva de programas de salud mental en la empresa requiere un enfoque sistemático, basado en evidencia y adaptado a las necesidades específicas de cada organización. Este capítulo presenta una metodología integral para el diseño, implementación y evaluación de programas de bienestar mental en el entorno laboral, fundamentada en investigación científica reciente y mejores prácticas globales.

Componentes Esenciales de un Programa Integral

I. Evaluación y Diagnóstico Organizacional

El primer paso crítico es realizar una evaluación del estado actual de la salud mental en la organización.

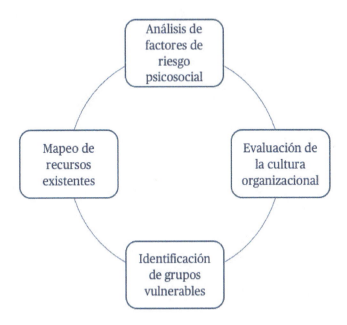

Componentes de un programa de evaluación integral.

Esta evaluación debe incluir:

Análisis de factores de riesgo psicosocial

El primer paso crucial en el diagnóstico es un análisis de los factores de riesgo psicosocial presentes en la organización. Este análisis implica examinar detenidamente aspectos como las cargas de trabajo, la claridad de roles, las oportunidades de desarrollo, las relaciones interpersonales y el equilibrio entre vida laboral y personal. A través de herramientas como encuestas y entrevistas, se busca identificar aquellas áreas donde los empleados pueden estar experimentando un mayor estrés o presión, y que podrían contribuir al desarrollo de problemas de salud mental. Este análisis sienta las bases para el desarrollo de intervenciones específicas y efectivas.

Evaluación de la cultura organizacional

Otro componente esencial del diagnóstico es una evaluación completa de la cultura organizacional. La cultura de una empresa - sus valores, normas y prácticas compartidas - tiene un impacto significativo en la salud mental de sus empleados. Una cultura que promueve el apoyo mutuo, la comunicación abierta y el equilibrio entre vida laboral y personal puede ser un factor protector poderoso. Por otro lado, una cultura de excesiva competitividad, falta de reconocimiento o expectativas poco realistas puede contribuir al estrés y al burnout. A través de esta evaluación, se busca entender cómo la cultura actual puede estar influenciando el bienestar mental de los empleados, e identificar oportunidades para fomentar una cultura más saludable y resiliente.

Identificación de grupos vulnerables

Dentro de cualquier organización, ciertos grupos de empleados pueden ser particularmente vulnerables a desafíos de salud mental. Esto puede incluir a trabajadores en posiciones de alta presión, aquellos lidiando con desafíos personales o miembros de grupos minoritarios que pueden enfrentar discriminación o barreras adicionales. Un diagnóstico completo debe buscar identificar estos grupos vulnerables, entendiendo sus necesidades y desafíos únicos. Esta información permite diseñar intervenciones y recursos de apoyo que aborden sus necesidades específicas, asegurando que ningún empleado se quede atrás en los esfuerzos de promoción de la salud mental.

Mapeo de recursos existentes

Finalmente, es importante que el diagnóstico incluya un mapeo de los recursos de salud mental ya existentes en la organización. Esto puede abarcar desde políticas de bienestar hasta programas de asistencia al empleado, pasando por iniciativas de formación en resiliencia o liderazgo consciente. Al tener un claro entendimiento de los recursos disponibles, se puede evaluar su efectividad, identificar brechas y buscar oportunidades para mejorar o expandir estos apoyos. Este mapeo también ayuda a asegurar que cualquier nueva intervención se integre de manera coherente con los esfuerzos existentes, creando un sistema de apoyo integral y bien coordinado para todos los empleados.

En resumen, un diagnóstico organizacional robusto que abarque estos cuatro elementos - análisis de riesgos psicosociales, evaluación de la cultura, identificación de grupos vulnerables y mapeo de recursos - proporciona una base sólida para desarrollar un programa de salud mental efectivo y adaptado a las necesidades únicas de cada organización.

II. Marco de Intervención Multinivel

Un programa efectivo debe operar en tres niveles distintos: a nivel individual, a nivel grupal y a nivel organizacional.

Nivel Individual

En el corazón de un programa efectivo de salud mental se encuentra el apoyo individualizado para cada empleado. Esto comienza con evaluaciones personalizadas de riesgo, que permiten identificar los factores específicos que pueden estar afectando el bienestar mental de cada individuo. Basándose en estas evaluaciones, se pueden proporcionar herramientas de autogestión adaptadas, que pueden incluir técnicas de manejo del estrés, estrategias de afrontamiento, rutinas de higiene mental o recursos educativos. Igualmente es crucial asegurar que cada empleado tenga acceso a apoyo profesional cuando lo necesite, ya sea a través de programas de asistencia al empleado, terapia en línea o referencias a especialistas externos. Finalmente, un enfoque individual debe incluir oportunidades para el desarrollo de la resiliencia personal, ayudando a los empleados a cultivar las habilidades y perspectivas necesarias para prosperar frente a los desafíos.

Nivel Grupal

Más allá del apoyo individual, un programa integral debe abordar la salud mental a nivel de equipos y departamentos. Esto implica proporcionar capacitación específica para líderes y supervisores, equipándolos con las habilidades necesarias para reconocer y responder a señales de problemas de salud mental en sus equipos. Intervenciones específicas por departamento o equipo pueden ser valiosas, abordando los desafíos únicos que pueden surgir en diferentes áreas funcionales. Ya sea que se trate de talleres de gestión del estrés para un equipo de alto rendimiento o sesiones de construcción de resiliencia para un departamento que atraviesa cambios significativos, estas intervenciones adaptadas pueden tener un profundo impacto.

Nivel Organizacional

Finalmente, para una verdadera y duradera transformación, la salud mental debe abordarse a nivel de toda la organización. Esto requiere el desarrollo e implementación de políticas integrales de bienestar mental - desde pautas para un equilibrio saludable entre el trabajo y la vida personal hasta protocolos para responder a crisis de salud mental. Aún más, se requiere un compromiso con la transformación cultural, inculcando valores y normas que prioricen el bienestar mental. Esto puede involucrar todo, desde cambiar la manera en que se establecen las metas y se evalúa el desempeño hasta fomentar una mayor apertura y vulnerabilidad en las comunicaciones. A lo largo de este proceso, es esencial establecer sistemas robustos de apoyo institucional, asegurando que los recursos, la experiencia y la rendición de cuentas necesarios estén en su lugar para sostener estos cambios a largo plazo.

En última instancia, es la integración de estos tres niveles - individual, grupal y organizacional - lo que permite un enfoque verdaderamente integral y efectivo para la promoción de la salud mental en el lugar de trabajo. Al proporcionar apoyo adaptado a las necesidades individuales, fomentar la resiliencia y el cuidado mutuo a nivel de equipo, y crear una cultura y estructuras organizacionales que prioricen el bienestar, las organizaciones pueden cultivar una fuerza laboral más saludable, comprometida y productiva.

Enfoque de implementación en los tres niveles de una organización.

III. Sistema de Alerta Temprana

Un sistema efectivo de alerta temprana es un componente clave de cualquier programa integral de salud mental en el lugar de trabajo. Este sistema está diseñado para identificar señales de potenciales problemas de salud mental antes de que se conviertan en crisis, permitiendo una intervención oportuna y proactiva. Al monitorear de cerca indicadores clave como cambios repentinos en la productividad, aumentos en el ausentismo, alteraciones notables en el comportamiento y un incremento en la frecuencia de quejas, las organizaciones pueden detectar cuando un empleado puede estar luchando y necesitar apoyo adicional. Este enfoque proactivo no solo beneficia al individuo, sino que también contribuye a mantener un ambiente de trabajo saludable y productivo para todos.

El programa debe incluir mecanismos para la identificación temprana de:

Tabla: Identificación temprana de datos de alerta.

Indicador	Señales de Alerta	Acción Recomendada
Productividad	Disminución repentina	Evaluación individual
Ausentismo	Incremento en faltas	Contacto directo
Comportamiento	Cambios notables	Intervención del líder o el especialista
Quejas	Aumento en frecuencia	Revisión departamental

Medición y Evaluación de Efectividad

La medición y evaluación de la efectividad de un programa de prevención y gestión del burnout requiere un enfoque integral que considere tanto indicadores individuales como organizacionales. El punto de partida es la evaluación del nivel de burnout experimentado por cada colaborador, utilizando instrumentos psicométricos validados internacionalmente: el Maslach Burnout Inventory (MBI), el Areas of Worklife Survey (AWS), el Occupational Stress Inventory (OSI), el Inventario COPE y el General Health Questionnaire (GHQ-12). Estos cuestionarios nos permiten cuantificar las dimensiones clave del burnout, los factores organizacionales, el estrés laboral, las estrategias de afrontamiento y la sintomatología asociada. Al aplicarlos periódicamente, podremos trazar la evolución del burnout a nivel individual, identificar patrones y evaluar la efectividad de las intervenciones implementadas. Esta medición centrada en la persona constituye la piedra angular de nuestro sistema de evaluación.

Indicadores Clave de Desempeño (KPIs)

Los Indicadores Clave de Desempeño (KPIs) son métricas cuantificables que permiten evaluar el progreso y éxito de un programa con relación a sus objetivos. Incluir KPIs es fundamental para medir de manera objetiva y estandarizada la efectividad de la intervención a lo largo del tiempo.

Los KPIs para evaluar la efectividad incluyen:

Tabla: KPIs de un programa de bienestar mental.

KPI	Instrumento	Periodicidad
Indicadores de Salud Mental		
Niveles de burnout	MBI	Trimestral
Factores organizacionales	AWS	Trimestral
Estrés laboral	OSI	Trimestral
Estrategias de afrontamiento	COPE	Trimestral
Sintomatología general	GHQ-12	Mensual
Indicadores Organizacionales		
Ausentismo	Tasa y frecuencia	Trimestral
Rotación de personal	Tasas de rotación y retención	Trimestral
Productividad	Tasa	Trimestral
Compromiso laboral	Gallup Q12	Trimestral
Indicadores de Programa		
Participación	Encuesta	Mensual
Satisfacción con servicios	Encuesta	Mensual

Es esencial establecer una línea base de estos KPIs antes de iniciar el programa y luego realizar mediciones periódicas siguiendo una metodología estandarizada. Esto permitirá evaluar objetivamente el impacto y efectividad del programa.

Los factores críticos de éxito son elementos clave que deben considerarse al implementar un programa de prevención y gestión del burnout. Su importancia radica en qué influyen directamente en la efectividad y sostenibilidad de la intervención.

Estos factores incluyen:

Compromiso del liderazgo: El apoyo visible de la alta dirección, la asignación de recursos y el modelado de comportamientos son esenciales para el éxito del programa.

Comunicación efectiva: Una estrategia de comunicación clara, con mensajes consistentes y canales múltiples, es fundamental para generar compromiso y participación.

Confidencialidad: Protocolos estrictos, sistemas seguros y confianza organizacional son vitales para fomentar la apertura y la búsqueda de ayuda.

Adaptabilidad cultural: La sensibilidad al contexto local, la flexibilidad en la implementación y el respeto a las diferencias son cruciales para la aceptación y efectividad del programa en diversos grupos (edad, cultura, etc.).

Considerar estos factores permite adaptar el programa a las necesidades y realidades específicas de cada organización, aumentando su impacto y sostenibilidad a largo plazo.

Barreras Comunes y Estrategias de Mitigación

Implementar un programa de prevención y gestión del burnout puede enfrentar diversas barreras. El estigma en torno a la salud mental puede desalentar la participación. Para mitigarlo, es esencial educar y normalizar estas conversaciones.

La resistencia al cambio es otra barrera común. Involucrar tempranamente a todos los actores clave ayuda a generar interés y compromiso.

Recursos limitados pueden obstaculizar la implementación. Un enfoque gradual permite avanzar dentro de las restricciones existentes.

La falta de confianza en la confidencialidad del programa puede inhibir la apertura. Protocolos transparentes y sistemas seguros son cruciales para fomentar la participación.

Anticipar estas barreras y desplegar estrategias proactivas de mitigación es fundamental para el éxito sostenible del programa de prevención y gestión del burnout.

Tabla: Estrategias de mitigación por tipo de barrera.

Barrera	Estrategia de Mitigación
Estigma	Educación + normalización
Resistencia	Involucramiento temprano
Recursos limitados	Implementación gradual
Falta de confianza	Transparencia + confidencialidad

Conclusiones

La implementación exitosa de programas de salud mental corporativos representa un cambio paradigmático en la gestión organizacional moderna. A lo largo de este capítulo, hemos explorado los elementos fundamentales que hacen efectivos estos programas:

1. Enfoque Sistemático e Integral
• La evaluación diagnóstica como punto de partida.
• Intervenciones multinivel que abordan aspectos individuales, grupales y organizacionales.
• Sistema de alerta temprana para prevención activa.
• Implementación gradual y adaptativa.

2. Compromiso Organizacional
• Liderazgo visible y activo desde la alta dirección.
• Asignación adecuada de recursos.
• Integración en la estrategia corporativa.
• Comunicación consistente y transparente.

3. Métricas y Evaluación
• Indicadores claros y medibles.

- Seguimiento continuo del progreso.
- Ajustes basados en evidencia.
- Evaluación de impacto a largo plazo.

La transformación hacia una cultura organizacional que priorice la salud mental enfrenta varios desafíos:

- Superar el estigma y las resistencias culturales requiere educación continua y normalización de conversaciones sobre bienestar mental.
- Mantener el compromiso a largo plazo demanda liderazgo consistente, métricas de seguimiento y celebración de logros.
- Adaptar el programa a diferentes contextos y necesidades implica flexibilidad en la implementación y sensibilidad a particularidades locales.
- Balancear estandarización y personalización exige un marco general sólido con espacio para ajustes individuales.

Anticipar y abordar proactivamente estos desafíos es clave para el éxito sostenible de la iniciativa.

Los programas de salud mental corporativos continuarán evolucionando con la integración de nuevas tecnologías y herramientas digitales, un mayor énfasis en la prevención y el bienestar integral, la adaptación a modalidades de trabajo híbridas y remotas, y el continuo desarrollo de métricas más sofisticadas adaptadas a distintos ambientes.

La inversión en salud mental ya no es una opción, sino una necesidad estratégica para las organizaciones que buscan prosperar en el entorno empresarial contemporáneo. Los programas efectivos no solo benefician el bienestar de los empleados, sino que contribuyen significativamente al éxito organizacional sostenible, creando un círculo virtuoso de crecimiento y desarrollo tanto individual como colectivo.

Para acceder a herramientas, actualizaciones y recursos adicionales, visite:

www.curaeartifex.com/burnout

Cuarta Parte: El Futuro del Trabajo

9
La Revolución del Bienestar

Resumen ejecutivo

Este capítulo explora las transformaciones fundamentales en el mundo laboral, impulsadas por cambios tecnológicos, demográficos y actitudinales, con especial énfasis en la salud mental como prioridad estratégica.

Objetivos de Aprendizaje:
- Comprender las tendencias globales que están redefiniendo el trabajo.
- Analizar el impacto de la pandemia en las dinámicas laborales.
- Identificar las nuevas expectativas generacionales.

Conceptos Clave:
- Salud mental cómo prioridad estratégica.
- Trabajo remoto y modelos híbridos.
- Expectativas generacionales.
- Transformación digital.
- Motivación y gestión del talento.

Beneficios para el Lector:
- Visión prospectiva del futuro del trabajo.
- Estrategias para adaptarse a nuevas dinámicas laborales.
- Comprensión de los cambios organizacionales emergentes.

La pandemia del COVID-19 aceleró transformaciones profundas que ya estaban en marcha en el mundo laboral. Junto con una mayor conciencia sobre la importancia de la salud mental y las diferencias generacionales en las actitudes hacia el trabajo, estos cambios están redefiniendo cómo se verá el futuro del empleo en todo tipo de sectores e industrias.

Salud Mental como Prioridad Estratégica

Uno de los cambios más significativos ha sido el posicionamiento de la salud mental como una prioridad estratégica para las organizaciones. La pandemia puso al descubierto y exacerbó problemáticas de salud mental preexistentes, elevando el bienestar emocional de los colaboradores a una consideración de primer orden.

Según un estudio de McKinsey (2022), el 51% de los empleados a nivel global reportaron síntomas de burnout durante la pandemia. Esto ha impulsado a las empresas a ir más allá de los programas tradicionales de bienestar y desarrollar estrategias integrales de salud mental que abarcan desde intervenciones individuales hasta cambios sistémicos en la cultura organizacional.

Las empresas líderes están adoptando un enfoque preventivo, incorporando la salud mental en todas sus políticas y procesos, desde el reclutamiento hasta el desarrollo del liderazgo. Esto incluye capacitar a los líderes para detectar y responder a señales tempranas de dificultades emocionales, proporcionar acceso a recursos de apoyo psicológico y rediseñar los trabajos para promover el bienestar.

Esta priorización de la salud mental no solo responde a una necesidad humana, sino que también representa una ventaja competitiva. Los estudios demuestran que las organizaciones que invierten en la salud mental de sus colaboradores experimentan mejoras significativas en productividad, retención de talento y reputación de marca empleadora.

El Choque Generacional y las Nuevas Expectativas

Otro factor clave que está moldeando el futuro del trabajo son las diferencias generacionales y las nuevas expectativas que traen consigo. Por primera vez en la historia, el mercado laboral alberga a cinco generaciones distintas, desde los Tradicionalistas hasta la Generación Z, cada una con sus propios valores, prioridades y estilos de trabajo.

Esta diversidad generacional presenta tanto desafíos como oportunidades para las organizaciones. Por un lado, las diferencias en las expectativas y los estilos de comunicación pueden generar fricciones y malentendidos. Por otro lado, la diversidad de perspectivas puede impulsar la innovación y la adaptabilidad.

Uno de los cambios más notables ha sido la evolución de las expectativas de las generaciones más jóvenes, particularmente los Millennials y la Generación Z. Estas generaciones priorizan el propósito y el impacto social tanto como la compensación financiera. Buscan flexibilidad, autonomía y oportunidades de crecimiento en sus carreras. También esperan que sus empleadores tomen posturas firmes en temas sociales y ambientales.

Para atraer y retener a estos talentos, las organizaciones están teniendo que repensar sus propuestas de valor y adaptar sus culturas laborales. Esto incluye adoptar modelos de trabajo más flexibles, invertir en el desarrollo continuo de habilidades, y alinear el propósito organizacional con causas sociales relevantes.

Al mismo tiempo, las organizaciones deben asegurarse de valorar y aprovechar la experiencia y conocimientos de las generaciones mayores. Crear entornos laborales inclusivos que fomenten la colaboración intergeneracional se ha convertido en una prioridad estratégica para gestionar una fuerza laboral multigeneracional.

El Impacto Duradero del COVID-19

La pandemia del COVID-19 no solo aceleró tendencias existentes, sino que también introdujo cambios disruptivos que tendrán un impacto duradero en el futuro del trabajo. Quizás el cambio más visible ha sido la rápida adopción y normalización del trabajo remoto.

Antes de la pandemia, el trabajo remoto era visto con escepticismo por muchas organizaciones. Sin embargo, la necesidad de distanciamiento social obligó a las empresas a adaptar sus operaciones y permitir que sus empleados trabajaran desde casa. Para sorpresa de muchos, esta transición no solo fue posible, sino que en muchos casos resultó en un aumento de la productividad.

Ahora, a medida que el mundo emerge de la pandemia, muchas organizaciones están adoptando modelos híbridos que combinan el trabajo remoto con la presencia en la oficina. Esto no solo responde a las preferencias de los empleados por una mayor flexibilidad, sino que también permite a las empresas acceder a un pool de talento global y reducir costos inmobiliarios.

Sin embargo, gestionar una fuerza laboral remota o híbrida presenta nuevos desafíos. Los líderes deben aprender a gestionar y motivar a equipos virtuales, fomentar la colaboración y mantener una cultura organizacional fuerte a pesar de la distancia física. También deben estar atentos a posibles impactos negativos como el aislamiento social, la difuminación de los límites entre trabajo y vida personal, y las dificultades para desconectar.

Otro cambio significativo ha sido la aceleración de la digitalización y automatización. La pandemia obligó a muchas empresas a adoptar tecnologías digitales para mantener sus operaciones, desde herramientas de colaboración en línea hasta inteligencia artificial. Esta adopción acelerada de tecnología no solo permitió la continuidad del negocio durante la crisis, sino que también sentó las bases para una transformación digital mas profunda.

A medida que las organizaciones continúan digitalizando sus procesos y aprovechando la automatización, el futuro del trabajo requerirá un nuevo conjunto de habilidades. Los empleados necesitarán ser ágiles, adaptables y capaces de trabajar eficazmente con tecnologías en constante evolución. Al mismo tiempo, las habilidades sociales, emocionales y cognitivas que son difíciles de automatizar, como la creatividad, el pensamiento crítico y la inteligencia emocional, se volverán aún más valiosas.

Un ejemplo destacado de una empresa que ha priorizado la salud mental es Unilever. La multinacional de bienes de consumo implementó un programa integral de salud mental que, según un estudio de McKinsey (2023), redujo el ausentismo en un 25% y mejoró la satisfacción laboral. El programa incluyó capacitación en resiliencia para todos los empleados, acceso a terapia en línea y políticas de trabajo flexibles.

Implicaciones para diferentes sectores

En el sector de las Finanzas y Seguros, conocido por su cultura de largas horas y alta presión, la salud mental se ha convertido en un foco importante. Muchas empresas ahora están ofreciendo programas de manejo del estrés, asesoramiento financiero para empleados y políticas de desconexión digital fuera del horario laboral. También están usando análisis de datos para identificar patrones de trabajo que podrían conducir al agotamiento y están ajustando las cargas de trabajo en consecuencia.

En el sector de los Servicios de Salud, donde el burnout de los profesionales médicos era un problema incluso antes de la pandemia, las organizaciones están tomando medidas proactivas. Muchos hospitales y clínicas ahora están proporcionando programas de apoyo entre pares, tiempo protegido para el autocuidado y recursos de salud mental específicos para los desafíos únicos que enfrentan los trabajadores de la salud. También están rediseñando los flujos de trabajo y los sistemas de documentación para reducir las tareas administrativas y permitir más tiempo para el cuidado directo del paciente.

Re imaginando la Motivación y la Gestión del Talento

Todos estos cambios - la priorización de la salud mental, las nuevas expectativas generacionales, la normalización del trabajo remoto y la aceleración tecnológica - están convergiendo para redefinir cómo las organizaciones motivan y gestionan su talento.

> *Salesforce, la compañía de software que ha sido consistentemente clasificada como uno de los mejores lugares para trabajar. Salesforce ofrece a sus empleados seis días de salud mental pagados al año, además de acceso a asesoramiento y aplicaciones de mindfulness. La empresa también ha capacitado a más de 2.000 empleados como "aliados de salud mental" para apoyar a sus colegas*

En el futuro del trabajo, la gestión del talento requerirá un enfoque mucho más personalizado y centrado en el individuo. Las organizaciones necesitarán comprender y responder a las necesidades y preferencias únicas de cada empleado, desde sus metas de carrera hasta sus desafíos de bienestar social y mental.

Esto implicará un cambio desde un modelo de gestión basado en el control hacia uno basado en la confianza y el empoderamiento. Los líderes deberán aprender a liderar con empatía, proporcionando el apoyo y los recursos que cada empleado necesita para prosperar. También deberán crear entornos laborales psicológicamente seguros donde los empleados se sientan cómodos expresando sus preocupaciones y pidiendo ayuda cuando la necesiten.

La motivación también tomará una apariencia diferente. Mientras que los incentivos financieros seguirán siendo importantes, las organizaciones tendrán que recurrir a una gama mas amplia de motivadores para atraer y retener talento. Esto incluirá proporcionar oportunidades significativas de aprendizaje y desarrollo, fomentar un fuerte sentido de propósito y pertenencia, y ofrecer beneficios y políticas que apoyen el bienestar integral de los empleados.

En esencia, el futuro del trabajo requerirá que las organizaciones adopten una mentalidad verdaderamente centrada en las personas. Aquellas que lo hagan no solo estarán mejor posicionadas para atraer y retener el mejor talento, sino que también desbloquearán nuevos niveles de innovación, adaptabilidad y rendimiento.

Conclusión

El futuro del trabajo ya está aquí, impulsado por cambios profundos en la tecnología, la demografía y las actitudes sociales. La pandemia del COVID-19 no inició estas tendencias, pero ciertamente aceleró su adopción y elevó su urgencia.

A medida que las organizaciones navegan por esta nueva realidad, aquellas que prioricen la salud mental, adopten la diversidad generacional, abracen la flexibilidad y se centren en las necesidades individuales de sus empleados serán las que prosperen.

Este futuro requerirá un nuevo tipo de liderazgo - uno que sea empático, adaptable y centrado en las personas.

También requerirá un nuevo contrato social entre empleadores y empleados, basado en la confianza, la transparencia y el compromiso mutuo con el crecimiento y el bienestar.

El camino por delante no será fácil, pero las recompensas serán significativas. Al adoptar estos cambios, las organizaciones no solo se volverán mas resilientes y exitosas, sino que también contribuirán a crear un mundo laboral más humano, pleno y sostenible para todos.

El futuro del trabajo está sobre nosotros, y presenta tanto desafíos como oportunidades inmensas. A medida que las organizaciones emergen de uno de los periodos más disruptivos de la historia reciente, aquellas que priorizan el bienestar de su gente no solo sobrevivirán, sino que prosperarán.

Esto requerirá un nuevo tipo de liderazgo y un nuevo contrato social entre empleadores y empleados. Requerirá valentía para desafiar viejas suposiciones y re-imaginar cómo se ve el éxito. Sobre todo, requerirá un compromiso profundo y duradero para poner a las personas en el centro de cada decisión y cada acción.

No será un camino fácil, pero los pioneros ya nos están mostrando el camino. Al aprender de su ejemplo y aprovechar las herramientas y conocimientos a nuestra disposición, todos podemos contribuir a forjar un futuro donde el trabajo no sea una fuente de estrés y agotamiento, sino de propósito, conexión y crecimiento.

El futuro del trabajo es el futuro de la humanidad. Depende de nosotros darle forma, un lugar de trabajo, un equipo, una decisión a la vez. La oportunidad está ante nosotros si tenemos la sabiduría y la voluntad de aprovecharla.

Nota: Los casos de empresas presentados en este capítulo son ejemplos reales de organizaciones que han implementado programas efectivos de salud mental en el lugar de trabajo.
Los ejemplos de Unilever y Salesforce se basan en información públicamente disponible, incluyendo informes corporativos y estudios de caso publicados.

Para acceder a herramientas, actualizaciones y recursos adicionales, visite:

www.curaeartifex.com/burnout

Epílogo

La última vez que me senté en mi escritorio, antes de emprender este viaje de investigación y sanación, no podía imaginar el camino que me esperaba. Hoy, mientras escribo estas palabras finales, comprendo que el burnout no fue el fin de mi historia profesional - fue el catalizador de una transformación profunda que me permitiría ayudar a otros a encontrar su propio camino hacia la renovación.

A través de este libro he descubierto una verdad fundamental: el agotamiento profesional no es el precio que debemos pagar por el éxito. Es una señal de que necesitamos re-imaginar fundamentalmente nuestra relación con el trabajo.

La transformación del trabajo no es solo posible - es inevitable. La pregunta no es si cambiaremos nuestra forma de trabajar, sino cómo participaremos en ese cambio. Como profesionales que hemos experimentado tanto el costo del burnout como la posibilidad de renovación, tenemos una responsabilidad única: ser pioneros de una nueva forma de habitar nuestra vida profesional.

Este libro no es un punto final - es una invitación a unirte a una conversación más amplia sobre el futuro del trabajo. Un futuro donde la excelencia profesional y el bienestar humano no son objetivos contrapuestos, sino aspectos complementarios de una vida laboral integrada y significativa.

Como médico, investigador y sobreviviente del burnout, ofrezco estas páginas como un mapa para ese viaje. Un mapa trazado solo con análisis, datos, estudios, y experiencia personal.

Referencias Bibliográficas

- Abramson, A. (2022). Burnout and stress are everywhere. Monitor on Psychology, 53(1).

- Awa, W. L., Plaumann, M., & Walter, U. (2010). Burnout prevention: A review of intervention programs. Patient Education and Counseling, 78(2), 184-190.

- Bakker, A. B., & de Vries, J. D. (2021). Job Demands-Resources theory and self-regulation: New explanations and remedies for job burnout. Anxiety, Stress, & Coping, 34(1), 1-21.

- Bes, I., Shoman, Y., Al-Gobari, M., Rousson, V., & Guseva Canu, I. (2023). Organizational interventions and occupational burnout: A meta-analysis with focus on exhaustion. International Archives of Occupational and Environmental Health, 96, 1-13.

- Brassey, J., Coe, E., & et al. (2023). Reframing employee health: Moving beyond burnout to holistic health. McKinsey Health Institute.

- Briones Torres, F., Galarza Tejada, D., & Palacios Rodríguez, O. (2024). Aplicación y alcance de la NOM-035-STPS-2018. Revista de Psicología de la Universidad Autónoma del Estado de México, 13, 321-355.

- Carolan, S., Harris, P., & Cavanagh, K. (2017). Improving Employee Well-Being and Effectiveness: Systematic Review and Meta-Analysis of Web-Based Psychological Interventions Delivered in the Workplace. Journal of Medical Internet Research, 19, e271.

- Coe, E., Doy, A., Enomoto, K., & Healy, C. (2023). Gen Z mental health: The impact of tech and social media. McKinsey Health Institute.

- Coe, E., Giarola, R., Herbig, B., Jeffery, B., & Merkand, R. (2022). Present company included: Prioritizing mental health and well-being for all. McKinsey Health Institute.

- Cordes, C., & Dougherty, T. (1993). A Review and an Integration of Research on Job Burnout. Academy of Management Review, 18.

- Costa, P. (2014). Chronic Job Burnout and Daily Functioning: A Theoretical Analysis. Burnout Research, 1.

- Cotton, P., & Hart, P. (2003). Occupational Wellbeing and Performance: A Review of Organisational Health Research. Australian Psychologist, 38, 118-127.

- Cousins, R., MacKay, C., Clarke, S., Kelly, C., Kelly, P., & McCaig, R. (2004). 'Management Standards' and work-related stress in the UK: Practical development. Work and Stress, 18.

- Danhof-Pont, M. B., van Veen, T., & Zitman, F. G. (2011). Biomarkers in burnout: A systematic review. Journal of Psychosomatic Research, 70(6), 505-524.

- Deady, M., Sanatkar, S., Tan, L., Glozier, N., Gayed, A., Petrie, K., Dalgaard, V. L., Stratton, E., LaMontagne, A. D., & Harvey, S. B. (2024). A mentally healthy framework to guide employers and policy makers. Frontiers in Public Health, 12, 1430540.

- Deloitte Global. (2024). Mental health and employers: The case for employers to invest in supporting working parents and a mentally healthy workplace. Deloitte UK.

- Deloitte. (2023). Mental health today: A deep dive based on the 2023 Gen Z and Millennial survey.

- Demerouti, E., Le Blanc, P. M., Bakker, A. B., Schaufeli, W. B., & Hox, J. (2009). Present but sick: A three-wave study on job demands, presenteeism and burnout. Career Development International, 14(1), 50-68.

- Dewhurst, M. (2022). Leading with compassion: Prioritizing workplace mental health. McKinsey Health Institute.

- Dimoff, J. K., & Kelloway, E. K. (2019). With a little help from my boss: The impact of workplace mental health training on leader behaviors and employee resource utilization. Journal of Occupational Health Psychology, 24(1), 4-19.

- Edmondson, A. C. (2023). The Fearless Organization: Creating Psychological Safety in the Workplace for Learning, Innovation, and Growth. Wiley.

- Erfan, M. (2024). The Impact of Cross-Cultural Management on Global Collaboration and Performance. Advances in Human Resource Management Research, 2.

- Faye, C., McGowan, J. C., Denny, C. A., & David, D. J. (2018). Neurobiological Mechanisms of Stress Resilience and Implications for the Aged Population. Current Neuropharmacology, 16(3), 234-270.

- Fortunisa, A., & Darmawan, M. R. (2022). The impacts of employee mental health in the workplace: A literature review. Journal of International Conference Proceedings, 5(3), 31-45.

- Franklin, T., Saab, B., & Mansuy, I. (2012). Neural Mechanisms of Stress Resilience and Vulnerability. Neuron, 75, 747-761.

- Fredin, M. (2022). The Neural Correlates of Burnout: A Systematic Review [Dissertation]. University of Skövde.

- Gallup. (2023). State of the Global Workplace: 2023 Report. Gallup Press.

- Golkar, A., Johansson, E., Kasahara, M., Osika, W., Perski, A., & Savic, I. (2014). The influence of work-related chronic stress on the regulation of emotion and on functional connectivity in the brain. PLoS One, 9(9), e104550.

- González-Trijueque, D., & Delgado-Marina, S. (2008). El acoso psicológico en el lugar de trabajo: Antecedentes organizacionales. Boletín de Psicología, 93, 7-20.

- Harnois, G., Gabriel, P., World Health Organization, & International Labour Organisation. (2000). Mental health and work: Impact, issues and good practices. World Health Organization.

- Heron, R., Moose, A., & Bhargava, R. (2024). Building Resilient and Healthy Workplaces: A Call to Action [Briefing paper]. World Economic Forum.

- Instituto Mexicano del Seguro Social (2024). Estrés Laboral. Salud en línea. https://www.imss.gob.mx/salud-en-linea/estres-laboral.

- International Organization for Standardization. (2018). ISO 45001:2018 Occupational health and safety management systems – Requirements with guidance for use. Geneva: ISO.

- International Organization for Standardization. (2021). ISO 45003:2021 Occupational health and safety management. Psychological health and safety at work. Guidelines for managing psychosocial risks. Geneva: ISO.

- Japanese Ministry of Health, Labour and Welfare. (2023). The 2023 White Paper on Measures to Prevent Karoshi, etc. Tokyo: Government of Japan.

- Joyce, S., Modini, M., Christensen, H., Mykletun, A., Bryant, R., Mitchell, P. B., & Harvey, S. B. (2016). Workplace interventions for common mental disorders: A systematic meta-review. Psychological Medicine, 46(4), 683-697.

- Juster, R. P., McEwen, B. S., & Lupien, S. J. (2009). Allostatic load biomarkers of chronic stress and impact on health and cognition. Neuroscience and Biobehavioral Reviews, 35, 2-16.

- Khammissa, R. A. G., Nemutandani, S., Feller, G., Lemmer, J., & Feller, L. (2022). Burnout phenomenon: Neurophysiological factors, clinical features, and aspects of management. Journal of International Medical Research, 50(9).

- Kirkbride, J. B., Anglin, D. M., Colman, I., Dykxhoorn, J., Jones, P. B., Patalay, P., Pitman, A., Soneson, E., Steare, T., Wright, T., & Griffiths, S. L. (2024). The social determinants of mental health and disorder: Evidence, prevention and recommendations. World Psychiatry, 23(1), 58-90.

- Kotter, J. (2007). Leading Change: Why Transformation Efforts Fail. Engineering Management Review, IEEE.

- Koutsimani, P., Montgomery, A., & Georganta, K. (2023). The relationship between burnout, depression, and anxiety: A systematic review and meta-analysis. Frontiers in Psychology, 10, 284.

- Kriakous, S. A., Elliott, K. A., Lamers, C., & Owen, R. (2021). The Effectiveness of Mindfulness-Based Stress Reduction on the Psychological Functioning of Healthcare Professionals: A Systematic Review. Mindfulness, 12(1), 1-28.

- Kuoppala, J., Lamminpää, A., Liira, J., & Vainio, H. (2008). Leadership, Job Well-Being, and Health Effects–A Systematic Review and a Meta-Analysis. Journal of Occupational and Environmental Medicine, 50, 904-915.

- LaMontagne, A., Martin, A., Page, K., Reavley, N., Noblet, A., Milner, A., Keegel, T., & Smith, P. (2014). Workplace mental health: Developing an integrated intervention approach. BMC Psychiatry, 14, 131.

- Leiter, M., & Maslach, C. (2005). Banishing Burnout: Six Strategies for Improving Your Relationship with Work. Jossey-Bass.

- Linnan, L. A., Cluff, L., Lang, J. E., Penne, M., & Leff, M. S. (2019). Results of the Workplace Health in America Survey. American Journal of Health Promotion, 33(5), 652-665.

- Listopad, I. W., Michaelsen, M. M., Werdecker, L., & Esch, T. (2021). Bio-Psycho-Socio-Spirito-Cultural Factors of Burnout: A Systematic Narrative Review of the Literature. Frontiers in Psychology, 12, 722862.

- Maslach, C. (2003). Job burnout: New directions in research and intervention. Current Directions in Psychological Science, 12, 189-192.

- Maslach, C., & Jackson, S. E. (1981). The measurement of experienced burnout. Journal of Occupational Behavior, 2, 99-113.

- Maslach, C., & Leiter, M. P. (2021). How to measure burnout accurately and ethically. Harvard Business Review, 99(2), 140-144.

- Maslach, C., & Leiter, M. P. (Eds.). (2015). It's time to take action on burnout. Burnout Research, 2, iv-v.

- Maslach, C., Schaufeli, W. B., & Leiter, M. P. (2001). Job burnout. Annual Review of Psychology, 52, 397-422.

- McEwen, B. S. (2017). Neurobiological and Systemic Effects of Chronic Stress. Chronic Stress, 1, 2470547017692328.

- McKinsey & Company. (2014). Addressing the unprecedented behavioral-health challenges facing Generation Z.

- McKinsey & Company. (2022). Beyond burnout: What helps—and what doesn't. McKinsey Health Institute.

- McKinsey & Company. (2022). Present company included: Prioritizing mental health and well-being for all. McKinsey Health Institute.

- McKinsey & Company. (2023). Reframing employee health: Moving beyond burnout to holistic health. McKinsey Health Institute.

- McKinsey & Company. (2023). The state of burnout for women in the workplace [Podcast].

- Melamed, S., Shirom, A., Toker, S., Berliner, S., & Shapira, I. (2006). Burnout and risk of cardiovascular disease: Evidence, possible causal paths, and promising research directions. Psychological Bulletin, 132(3), 327-353.

- Michel, A. (2016). Cover Story: Burnout and the Brain. Association of Psychological Sciences.

- Mommersteeg, P., Heijnen, C., Verbraak, M., & Doornen, L. (2006). A longitudinal study on cortisol and complaint reduction in burnout. Psychoneuroendocrinology, 31, 793-804.

- Moss, J. (2023). Beyond Burned Out. Harvard Business Review Digital Articles, 2-6.

- Moss, J. (2023). The Burnout Epidemic: The Rise of Chronic Stress and How We Can Fix It. Harvard Business Review Press.

- National Institute for Health and Care Excellence. (2022). Manager interventions: Mental wellbeing at work: Evidence review B. (NICE Guideline, No. 212).

- Nielsen, K., Nielsen, M. B., Ogbonnaya, C., Känsälä, M., Saari, E., & Isaksson, K. (2017). Workplace resources to improve both employee well-being and performance: A systematic review and meta-analysis. Work & Stress, 31, 1-20.

- Otto, M., Ruysseveldt, J., Hoefsmit, N., & van Dam, K. (2021). Investigating the Temporal Relationship between Proactive Burnout Prevention and Burnout: A Four-Wave Longitudinal Study. Stress and Health, 37.

- Pfeffer, J. (2018). Dying for a Paycheck: How Modern Management Harms Employee Health and Company Performance. Harper Business.

- Primecz, H., Romani, L., & Sackmann, S. (2012). Culture and negotiated meanings: The value of considering meaning systems and power imbalance for cross-cultural management. In: Cross-cultural management in practice: Culture and negotiated meanings. Edward Elgar Publishing.

- Pruessner, J. C., Dedovic, K., Khalili-Mahani, N., Engert, V., Pruessner, M., Buss, C., Renwick, R., Dagher, A., Meaney, M. J., & Lupien, S. (2008). Deactivation of the limbic system during acute psychosocial stress: Evidence from positron emission tomography and functional magnetic resonance imaging studies. Biological Psychiatry, 63(2), 234-240.

- Safe Work Australia. (2019). Work-related Psychological Health and Safety: A Systematic Review of Evidence and Implications for Practice. Canberra: Safe Work Australia.

- Salvagioni, D. A. J., Melanda, F. N., Mesas, A. E., González, A. D., Gabani, F. L., & Andrade, S. M. (2017). Physical, psychological and occupational consequences of job burnout: A systematic review of prospective studies. PLoS ONE, 12(10), e0185781.

- Savic, I. (2015). Structural changes of the brain in relation to occupational stress. Cerebral Cortex, 25(6), 1554-1564.

- Schaufeli, W. B., Leiter, M. P., & Maslach, C. (2009). Burnout: 35 years of research and practice. Career Development International, 14(3), 204-220.

- Secretaría del Trabajo y Previsión Social. (2018). NORMA Oficial Mexicana NOM-035-STPS-2018, Factores de riesgo psicosocial en el trabajo-Identificación, análisis y prevención. Diario Oficial de la Federación.

- Secretaría del Trabajo y Previsión Social. (2023). Decreto por el que se reforman y adicionan diversas disposiciones de la Ley Federal del Trabajo. Tabla de Enfermedades del Trabajo. Diario Oficial de la Federación, 4 de diciembre de 2023.

- Strudwick, J., Gayed, A., Deady, M., et al. (2023). Workplace mental health screening: A systematic review and meta-analysis. Occupational and Environmental Medicine, 80, 469-484.

- Tawfik, D. S., Scheid, A., Profit, J., Shanafelt, T., Trockel, M., Adair, C. K., Sexton, J. B., & Ioannidis, J. P. A. (2019). Evidence Relating Health Care Provider Burnout and Quality of Care: A Systematic Review and Meta-analysis. Annals of Internal Medicine, 171(8), 555-567.

- Teshome, B. G., Desai, M. M., Gross, C. P., Hill, K. A., Li, F., Samuels, E. A., et al. (2022). Marginalized identities, mistreatment, discrimination, and burnout among US medical students: Cross sectional survey and retrospective cohort study. BMJ, 376, e065984.

- Van Dam, N. T., van Vugt, M. K., Vago, D. R., Schmalzl, L., Saron, C. D., Olendzki, A., ... Meyer, D. E. (2018). Mind the Hype: A Critical Evaluation and Prescriptive Agenda for Research on Mindfulness and Meditation. Perspectives on Psychological Science, 13(1), 36-61.

- Virtanen, M., Honkalampi, K., Karkkola, P., & Korhonen, M. (2024). Guidance for workplaces on how to support individuals experiencing mental health problems. European Agency for Safety and Health at Work.

- Virtanen, M., Honkalampi, K., Karkkola, P., & Korhonen, M. (2024). A review of good workplace practices to support individuals experiencing mental health problems: Research Review. European Agency for Safety and Health at Work.

- West, C. P., Dyrbye, L. N., & Shanafelt, T. D. (2018). Physician burnout: Contributors, consequences and solutions. Journal of Internal Medicine, 283(6), 516-529.

- World Health Organization & International Labor Organization. (2022). Mental health at work: Policy brief. Geneva: WHO/ILO.

- World Health Organization. (2019/2021). International Classification of Diseases, Eleventh Revision (ICD-11).

Para acceder a herramientas, actualizaciones y recursos adicionales, visite:

www.curaeartifex.com/burnout

Acerca del autor

El Dr. Manuel López Kneeland es médico titulado por la Universidad Autónoma de México con maestría en Salud Pública por la Escuela Bloomberg de Salud Pública de Johns Hopkins y maestría en Dirección de Empresas con especialidad en Servicios de Salud por el ITESM.

Con más de 20 años de experiencia combinando la práctica clínica, la investigación y la dirección de servicios de salud, ha desarrollado su carrera en institutos de investigación sanitaria, medicina del trabajo y salud ocupacional tanto en México como internacionalmente. Su experiencia en Estados Unidos y Europa le ha permitido estudiar el fenómeno del burnout desde una perspectiva multicultural. Como investigador, ha estudiado extensivamente la intersección entre los sistemas de salud, el bienestar organizacional y la resiliencia profesional.